RHEILFFYRDD GWYNEDD
MEWN HEN LUNIAU

GWYNEDD RAILWAYS
IN OLD PHOTOGRAPHS

RHEILFFYRDD GWYNEDD
MEWN HEN LUNIAU

GWYNEDD RAILWAYS
IN OLD PHOTOGRAPHS

CASGLWYD GAN
COLLECTED BY
MIKE HITCHES

ALAN SUTTON

Alan Sutton Publishing Limited
Phoenix Mill · Far Thrupp · Stroud · Gloucestershire

Cyhoeddwyd gyntaf ym 1990
First published 1990

Manylion catalogio y Llyfrgell Brydeinig
British Library Cataloguing in Publication Data

Gwynedd railways in old photographs.
1. Gwynedd. Railways. Stations, history
I. Hitches, Mike *1949-*
385.314094292

ISBN 0-86299-803-4

DEDICATION: To Alwen

Typeset in 9/10 Korinna.
Cysodi a gwaith gwreiddiol gan
Typesetting and origination by
Alan Sutton Publishing Limited.
Argraffwyd ym Mhrydain Fawr gan
Printed in Great Britain by
Dotesios Printers Limited.

CYNNWYS • CONTENTS

RHAGYMADRODD

Y bwriad cyntaf yng ngynllunio rheilffyrdd Gwynedd oedd eu bod i gysylltu Llundain ac Iwerddon, a oedd yn y cyfnod hwnnw yn rhan o'r Deyrnas Unedig. Yr oedd cysylltiadau haws a chyflymach rhwng sedd y llywodraeth yn San Steffan a'r Iwerddon yn mynd yn bwysicach fyth fel y nesai blynyddoedd canol y bedwaredd ganrif ar bymtheg. Bu sefydlu rheilffyrdd yng Ngwynedd yn dylanwadu'n effeithiol ar economi a safonau cymdeithasol y rhan hon o Ogledd Cymru.

Erbyn tri degau y bedwaredd ganrif ar bymtheg rhoddid ystyriaeth ddwys i adeiladu rheilffordd a rhoddwyd cam pellach ymlaen i'r syniad pan fu i un o Weinidogion yr Iwerddon fod mewn damwain yn ymwneud â choets fawr ar briffordd yr A5 ac yntau ar ei ffordd yn ôl i'r Iwerddon. Ae fel y digwydd pan greuir anhwylustod i rai pwysig yna eir ati i wneud rhywbeth rhag blaen. Yn 1836 apwyntiwyd Comisiynwyr i archwilio'r posibiliadau o gael sistem rheilffyrdd cyffredinol yn yr Iwerddon, ac yn eu tro apwyntiodd y comisiynwyr un o'r enw Charles Vignoles yn beiriannydd ar y cynllun a gofynwyd iddo baratoi adroddiad ar gynlluniau cysylltu rheilffyrdd yng Nghymru a Lloegr. Yn 1837 gwnaeth adroddiad a oedd yn ffafrio rheilffordd o Lundain trwy ganolbarth Cymru ac yna i'r gogledd trwy Llangollen, y Bala, a'r Bermo i Borthdinllaen ar arfodir Llŷn ac nid nepell o Gaernarfon. Nid oedd yn rhoi ffafriaeth i'r cynllun arall o redeg rheilffordd o Gaer ac ar hyd glannau Gogledd Cymru i Gaergybi. Ei resymau oedd problemau peirianyddol a godai pe groesid Afon Conwy, a'r Afon Menai, yn ogystal â datrys problemau y ddau benrhyn, Penmaenbach a Phenmaenmawr rhyw pum milltir i'r gorllewin o Gonwy. Ond yr oedd, er hynny, rhai pethau a oedd yn bleidiol i'r cynllun hwn: yr oedd Caergybi yn borthladd yn barod ac yn cynnig ffordd gynt i groesi i'r Iwerddon ac yr oedd yn rhaid datblygu Porthdinllaen fel porthladd, ac roedd hyn yn ystyriaeth tra phwysig.

Tra roedd y ddau borthladd o dan ystyriaeth daeth trydydd ymgeisydd i'r maes sef Cwmni Harbwr a Rheilffordd St Sior a'r cynnig hwn oedd rheilffordd o Gaer, a oedd yn cynyddu yn ei phwysigrwydd fel cyffordd yn barod, ar hyd y glannau i Fae Llandudno, gan alw'r porthladd yn Borth Wrecsam. Gwrthodwyd yn cynllun hwn ar fyrder, gan y teimlid na fyddai teithwyr i'r Iwerddon yn rhyw fodlon iawn ar deithio ar draws gwlad i Borth Wrecsam; gwell fuasai ganddynt fynd i Lerpwl a theithio oddiyno dros y dŵr i'r Iwerddon. Wedi penderfynu cwestiwn y rheilffordd yn ddiweddarach daeth tref wyliau i lannau Bae Llandudno.

Robert Stephenson, peiriannydd mawr y rheilffyrdd, fu'n gyfrifol o'r diwedd am sicrhau y byddai rheilffordd gyntaf Gwynedd yn rhedeg ar hyd arfordir

Gogledd Cymru i Gaergybi. Gwnaeth hyn trwy gyflwyno cynlluniau a oresgynai y problemau peirianyddol a oedd yn gysylltiedig â'r ffordd. Adeiladwyd pontydd dros y Gonwy a'r Fenai ac agorwyd twneli trwy Benmaenbach a Phenmaenmawr; bu i'r polisi hwn gael ei fabwysiadu gan adeiladwyr ffyrdd eraill yn ddiweddarach. Yr oedd y gorchestion peirianyddol hyn i gyd o fewn ffinau Sir Gaernarfon, Môn, a Meirionnydd. Unwyd y siroedd hyn yn 1974 i fod yn un sir, sef Gwynedd.

Yn 1844 rhoddwyd sêl bendith Brenhinol i Reilffordd Caer a Chaergybi. Bu cryn bwysau gan gwmni LNWR am gael agor y ffordd gynted ag oedd yn bosibl, er eu galluogi i rwystro eu cydymgeiswyr y GWR rhag derbyn cytundeb gan y Post Brenhinol i ddelio â'r Iwerddon. Yr oedd y GWR yn awyddus i ennill y cytundeb hwn er gwneud defnydd o'u porthladd yn Aberdaugleddau. Agorwyd y Rheilffordd o Gaer i Gaergybi yn 1848, er na chwblhawyd y ffordd dros y Fenai hyd 1850 pan adeiladwyd Pont Britannia, y bont tiwbiwlar. Llwyddodd Cwmni Rheilffordd Caer a Chaergybi ar y cyd â Chwmni y LNWR, i ennill y Cytundeb Post, gan ddefnyddio trên yr 'Irish Mail'. Daeth y trên i fodolaeth gyntaf gyda chwmni rheilffordd London and Birmingham, y trên hynaf yn y byd y rhoddwyd enw iddo.

Unwaith yr agorwyd y rheilffordd, bu'r effeithiau economaidd yn anferth, yn enwedig felly ar y rhimyn cul o dir ar arfordir Gogledd Cymru. Daeth y ffyrdd haearn ag ymwelwyr haf i'r glannau gan fod ymdrochi yn y môr wedi tyfu yn ysfa Fictorianaidd. Creuodd hyn ryw fath o 'boom'. Cynyddodd rhif preswylwyr trefi'r glannau er mwyn galluogi trefnu gwasaneth ar gyfer yr ymwelwyr hyn, ac yr oedd mwy na hanner o boblogaeth Eryri yn awr wedi eu canolbwyntio ar yr arfordir.

Cynhwysai Map y Rheilffordd yn 1867 enw Sir Feirionnydd, wedi rhyw gymaint o ymdrech i adgyfodi plan Vignoles i wneud rheilffordd i Borthdinllaen er eu galluogi i gystadlu â'r LNWR a oedd erbyn hyn wedi llyncu Cwmni Rheilffordd Caer a Chaergybi, a Phorthladd Caergybi ar gyfer y drafnidiaeth Wyddelig. Yr adran gyntaf o ffordd haearn trwy Ganoldir Cymru oedd rhan o rheilffordd Amwythig i Gaer o Gobowen i Groesoswallt, ac adrannau eraill yn dilyn; i Lanidloes a'r Drefnewydd yn 1859, a Chroesoswallt, Ellesmere, a Whitchurch yn 1864. Ymhellach i'r gorllewin unwyd Rheilffyrdd y Drefnewydd a Machynlleth ac agorwyd y ffordd ar 3ydd Ionawr 1863. Yr oedd Rheilffordd Aberystwyth a'r Glannau am gwblhau'r gadwyn ar draws aberoedd Dyfi, Mawddach a Glaslyn i Bwllheli ac yna ymlaen i Borthdinllaen. Cafodd y ffordd hon y sêl Frenhinol yn 1861 ac agorwyd yr adran gyntaf rhwng Machynlleth a'r Borth ar Iaf Orffennaf 1863. Enwau'r peiriannwyr a wnaeth y gwaith oedd David Davies a Thomas Savin.

Unwyd yr holl gwmniau hyn yn 1865 i greu Cwmni Rheilffyrdd y Cambrian. Cwblhaodd y cwmni hwn y ffordd i Bwllheli ac fe'i hagorwyd heb lawer o seremoni ar 10fed Hydref 1867. Ni adeiladwyd rheilffordd o Bwllheli i Borthdinllaen ac felly ni sylweddolwyd uchelgais y cwmni i gystadlu â phorthladd Caergybi am y drafnidiaeth i'r Iwerddon.

Adeiladwyd Rheilffordd Arfordir Cymru trwy wlad hynod brydferth ond mynyddig ac 'roedd hyn yn achosi problemau i'r peiriannwyr. Y broblem gyntaf wedi gadael Aberystwyth oedd aber yr Afon Ddyfi. Ar y cychwyn bwriedid codi pont i groesi'r aber ond oherwydd ansicrwydd gyda sylfeini, symudwyd y rheilffordd yn uwch i fyny'r afon. Yn fwy i'r Gogledd y mae'r mynyddoedd o amgylch Cader Idris yn rhedeg i'r traethau a'r môr, a chlogwyni serth ger y Friog yn brif nodwedd y broblem. Gorfodwyd y cwmni o'r herwydd i gerfio ffordd trwy'r creigiau. Y rhwystr olaf oedd traethell dywodlyd yng nghеg yr Afon Fawddach ger y Bermo. Goresgynwyd y broblem hon trwy adeiladu pont bren o 113 rhychwant a gynhelid gan 500 o bileri. Ar ochr Bermo i'r aber adeiladwyd rhan haearn o wyth rhychwant gydag un rhychwant y gellid ei dynnu'n ôl dros y lleill, i roddi mynediad i longau hwylio'r afon. Newidwyd y rhan hon yn 1909 ac adeiladwyd pont symudol yn ei lle. Agorwyd Pont y Bermo ar y 3ydd o Fehefin 1867, ac fe'i cyfrifir o hyd yr adeiladwaith gwychaf ar holl lein y Cambrian; arhosodd y rheilffordd hon yn ffordd sengl am y rhan fwyaf o'i hyd, ac ni fu mor lwyddiannus ac y disgwyliai ei hyrwyddwyr iddi fod. Prinder poblogaeth yn y rhannau o'r wlad a wasanaethai'r rheilffordd oedd yn achosi y prif broblem, a wynebai'r cwmniau fethdaliad yn aml oherwydd prinder trafnidiaeth. Ond bu'n foddion o leiaf i agor Sir Feirionnydd a Phenrhyn Llŷn i dwristiaeth fel y gwnaeth Rheilffordd Caer a Chaergybi i rannau o Ogledd Cymru.

Chwareli gwenithfaen a llechi oedd prif ddiwydiannau Gogledd Cymru ar y pryd ac wedi eu hir sefydlu yno, a chludid y cynnyrch dros y môr. Ni fu'r cwmniau rheilffordd yn araf i weld potensial y fasnach hon gyda chludiant y cynnyrch. Onid oedd y chwareli gwenithfaen yn agos i le y rhedai lein Caer i Gaergybi, yn arbennig yng Nghonwy a Phenmaenmawr ac erbyn 1878 cludid y llwythi cerrig gan y rheilffordd. Daeth y LNWR yn un o'r cwsmeriaid mwyaf pan brynwyd balast gwenithfaen gan gwmni'r rheilffordd o chwarel Cwmni Darbishire Penmaenmawr yn 1889 i'w ddefnyddio yn lle'r balast golosg a ddefnyddid cyn hynny.

Fe ddeil chwarel Penmaenmawr i gynrychu'r balast ithfaen a'i werthu i'r Rheilffyrdd Prydeinig. Cynhyrchid llechfaen ym mellach i'r wlad o'r glannau yn chwareli Blaenau Ffestiniog, Bethesda a Nantlle.

Mewn ymgais i ddwyn y busnes cludiant oddiar gwmniau'r llongau dechreuodd y rheilffyrdd adeiladu canghennau i'r lleoedd hyn. Rhwng 1867 a 1872 adeiladodd Cwmni Caer a Chaergybi lein i Nantlle trwy Gaernarfon, prif dref y sir. Yn 1872 cysylltwyd lein Caernarfon ag Afon-Wen, lein a oedd yn barod yn gysylltedig â'r Cambrian; a Bangor a phrif reilffordd glannau Gogledd Cymru. Agorwyd cangen Caernarfon i Lanberis yn 1869 ac yn 1857 agorwyd lein i gei Borthdinorwig. Adeiladwyd cangen Bangor i Fethesda yn 1884, a changen Blaenau Ffestiniog o Gyffordd Llandudno rhwng 1863 a 1879. Codwyd rheilffordd rhwng y Bala a Blaenau Ffestiniog gan y GWR mewn ymdrech i dorri i mewn i'r drafnidaeth llechi, ond gan iddynt ddod yn hwyrach na'r LNWR nid oeddynt yn abl i ddwyn iddynt eu hunain swm trafnidiaeth eu cystadleuydd.

Roedd gan gwmniau'r chwareli eu rheilffyrdd eu hunain, rhai culach eu lled, a gysylltai eu gweithfeydd â phorthladdoedd yng Nghaernarfon, Bangor, a Phorthmadog ynghyd â chanolfannau pwysig yn y trefi fel y datblygai'r prif reilffyrdd. Rhai o'r rhai pwyisicaf oedd Rheilffordd Ffestiniog, o'r Blaenau i Borthmadog, a dderbyniodd y Sêl Frenhinol yn 1832. Rheilffordd Ffestiniog *oedd y cyntaf i gludo teithwyr pan weithredwyd gwasanaeth rhad yn 1864. Agorwyd seidins cyfnewid gyda Rheilffyrdd y Cambrian ym Minffordd yn 1871, gyda rhai tebyg ym Mlaenau Ffestiniog ar derfyn rheilffyrdd y LNWR, a'r GWR. Cauwyd y lein yn 1946, ac fe'i hail agorwyd gan gefnogwyr a chadwriaethwyr ychydig flynyddoedd yn ddiweddarach. Rheilffyrdd culion eraill yw'r Tal-y-Llyn sy'n rhedeg o Dywyn i Abergynolwyn, rheilffordd y Penrhyn a redai o Fethesda i Fangor, a rheilffordd Padarn a unai'r chwarel gyda'r porthladd yn y Felinheli. Rheilffordd ddiddorol arall yn Llanberis yw rheilffordd unigryw yr Wyddfa sy'n esgyn i gopa'r mynydd a dyma'r unig un o'i bath yn Mhrydain, gan ddefnyddio olwyn gocos i dynnu trenau i fyny'r mynydd i gyrroedd ei nod.*

Agorodd y prif gwmniau rheilffyrdd ganghennau i ddiwallu anghenion cynyddol y fasnach twristiaeth. Agorwyd cangen Llandudno yn 1858, y gangen i Amlwch, fesul rhannau rhwng 1864 ac 1867, a changen y Traeth Coch yn 1909. Agorodd y Cambrian gangen Dolgellau i uno â'r GWR, yn 1869. Erbyn y flwyddyn 1870 roedd y rhwydwaith o reilffyrdd yn Ngwynedd wedi dod i ben a bu yn gyfan felly o'r bron nes i adroddiad Dr Beeching ddod allan yn 1963 a'r gweithredu a fu ar hynny.

Cysylltir Gogledd Cymru gan y rhelyw o bobl â gwyliau glan-y-mor ac wrth ddewis darluniau ar gyfer y llyfr hwn ceisiais adlewyrchu 'r dyddiau pan oedd y Rheilffordd yn Frenin, a theithiai y mwyafrif o bobl ar y trenau i orsafoedd prysur yn frith o wasanaethwyr. Tra mae llawer o'r darluniau yn dwyn i gôf gorsafoedd prysur a changhennau a gauwyd trwy gwrteisi Dr Beeching ni fu y prif reilffyrdd heb eu newidiadau. Nid yn unig y caewyd rhai orsafoedd, ond fe ailadeiladwyd rhai, ac ailagorwyd eraill. Bu newid hefyd ar y golygfeydd a'r amgylchedd a welid o'r brif linell i Gaergybi: nid yn unig adeiladau ond chwimffordd yr A55 o Gaer tros Bont Britannia gyda'i phont ar ben pont i Ynys Môn. Ni orffenwyd y ffordd eto a bydd newidiadau peelach yn effeithio ar yr amgylchedd ac yn dystiolaeth sylweddol o ddirywiad y rheilffyrdd fel cyfrwng teithio.

Gadewch i ni felly gymryd y trên gwyliau ar siwrnai i'r hafau pell pan oeddynt bob amser yn hir a heulog, (neu felly y dywedir wrthyf) ac atgoffa ein hunain o'r cyffro pleserus i fynd i lan y-mor ar y trên.

INTRODUCTION

Gwynedd's railways were originally conceived as part of a system to link London with Dublin, Ireland being part of the United Kingdom at this time. Speedier links between the seat of government, at Westminster, and Ireland were becoming increasingly important as the middle years of the nineteenth century approached. The establishment of railways in Gwynedd had far reaching effects on the economy and demography in this part of North Wales.

A railway was under serious consideration by the 1830s, matters being expedited when an Irish Minister was involved in a stagecoach accident along the

A5 as he was making his way back to Ireland. As is always the case, things only get done when important people are inconvenienced. In 1836 Commissioners were appointed to investigate the possibilities for a general railway system in Ireland. The Commissioners appointed Charles Vignoles as engineer and asked him to report on plans for connecting railways in England and Wales. By 1837 he reported in favour of a railway from London via mid-Wales and through Llangollen, Bala, and Barmouth to Porth Dinllaen, near Caernarfon. He did not favour an alternative proposal from Chester and along the North Wales coast to Holyhead because of engineering problems associated with crossing the River Conwy and the Menai Straits, as well as having to solve difficulties of going around the twin headlands of Penmaenbach and Penmaen-Mawr, about five miles west of Conwy. There was, however, the fact that Holyhead was already an established steam packet port, offering the shortest sea crossing to Ireland, while Porth Dinllaen would have to be developed, a not unimportant consideration.

While the two main contenders were under consideration, a third alternative was offered by the St Georges Harbour and Railway Company. This project envisaged a railway from Chester, then becoming an important junction itself, along the North Wales coast to Ormes Bay, to be called Port Wrexham. This project was rejected fairly quickly because it was felt that passengers to Ireland would rather go by sea from Liverpool than travel by land to Port Wrexham. Ormes Bay itself was to become the holiday resort of Llandudno once the railway issue had been resolved.

It was the great railway engineer, Robert Stephenson, who effectively ensured that Gwynedd's first railway would run along the North Wales coast to Holyhead when he presented plans which overcame engineering problems associated with the route. Tubular bridges were built over the Conwy and Menai Straits, and tunnels were driven through Penmaenbach and Penmaen-Mawr, a policy that later road builders were to follow. All of these engineering feats were within Caernarfonshire which, along with Anglesey and Merionethshire, formed the County of Gwynedd in the local government reorganization of 1974. The Chester and Holyhead Railway Bill was given Royal Assent in 1844. Pressure to have the line open as soon as possible was applied by the London and North Western Railway who wanted to prevent their great rivals, the Great Western Railway, from obtaining the Royal Mail contract to Ireland. The GWR were bidding for this contract using their own harbour at Milford Haven. The Chester and Holyhead Railway opened in 1848, although the link to Anglesey and Holyhead, over the Menai Straits, was not complete until 1850 when the Britannia tubular bridge was opened. The Chester and Holyhead Railway, in association with the LNWR, won the Mail contract using the 'Irish Mail' train, which had been inaugurated by the London and Birmingham Railway in 1837, when the line opened, the oldest named train in the world.

Once the railway opened, its economic impact was enormous, particularly on the narrow coastal strip of the North Wales coast. The railway brought in summer visitors as the Victorian craze for sea-bathing created a holiday 'boom'. The resident population also increased to serve the demands of these visitors until more than half of the population of Snowdonia were concentrated on the coastal strip.

Merionethshire was included on the railway map in 1867 following an attempt to resurrect Vignoles' plan for a railway to Porth Dinllaen, in an effort to compete with the LNWR, who had, by then, absorbed the Chester and Holyhead Railway, and Holyhead for the Irish traffic.

The first section of a line through mid-Wales was part of the Shrewsbury-Chester line from Gobowen to Oswestry, followed by sections to Llanidloes and Newtown in 1859, and Oswestry, Ellesmere, and Whitchurch in 1864. Further west, the Newtown and Machynlleth Railway was incorporated on 27 July 1857 and opened its line on 3 January 1863. The Aberystwyth and Welsh Coast Railway wished to complete the link, going via the Dyfi, Mawddach, and Glaslyn estuaries to Pwllheli and on to Porth Dinllaen, royal assent for this route being granted in 1861. The first section between Machynlleth and Borth was opened on 1 July 1863. All of these lines were engineered by David Davies and Thomas Savin.

In 1865, all of the above companies were merged to form the Cambrian Railways, the new company completed the line to Pwllheli and it was opened without ceremony on 10 October 1867. The extension to Porth Dinllaen was never constructed, thus the Cambrian Railways never realized its ambition to compete with Holyhead for traffic to Ireland.

The Cambrian Coast Line was built through picturesque but mountainous country which created problems for the engineers. From Aberystwyth, the first major difficulty was the Dyfi estuary. It was originally intended that the railway would cross the estuary by viaduct. Unsound foundations, however, meant that the railway went around and crossed further upstream. Further north, the mountains around the Cader Idris sweep down to the sea, with precipitous cliffs at Friog being a major feature. This forced the railway company to carve a route through the rocks. The final obstacle was the wide sandbank estuary of the Mawddach, near Barmouth, which also has strong sea currents. This problem was solved by construction of a timber viaduct of 113 spans supported by more than 500 piles. On the Barmouth side of the estuary, an iron section of eight spans was built, one of which drew back over the others to allow the passage of ships. In 1909 this was replaced by a swing bridge. The Barmouth Bridge was opened 3 June 1867 and is still considered to be the finest structure on the whole of the Cambrian Coast Line.

The line remained mostly single track throughout its existence and was never the great success that its promoters had hoped. Its major problem was that the areas which it served were sparsely populated and the railway companies were often faced with bankruptcy through lack of traffic. The railway did, however, open up Merionethshire and the Lleyn Peninsula to tourism in much the same way that the Chester and Holyhead Railway had done.

Quarrying, principally of granite and slate, was well established before the railways arrived, the product being moved by sea. The railways were not slow to see the potential for freight traffic from this industry. Granite was quarried in areas covered by the Chester and Holyhead main line, particularly at Conwy and Penmaenmawr, and the railway was transporting stone by 1878. The LNWR became a major customer itself when the company purchased granite ballast from the Darbishire quarry of Penmaenmawr in 1889 to replace cinder ballast then in use. Granite ballast is still produced at Penmaenmawr and sold to British Rail.

Slate was quarried further inland at Blaenau Festiniog, Bethesda, and Nantlle. In order to attempt to take this freight business from the sea, the railways built branches to these places. The Chester and Holyhead Railway constructed a line to Nantlle via the county town of Caernarfon in stages betwen 1867 and 1872. A line from Caernarfon to Afon-Wen, linking up with the Cambrian Railways, was linked to Bangor and the North Wales Coast main line in 1872. The branch from Caernarfon to Llanberis was opened in 1869, a line to Port Dinorwic quay opened in 1857, the Bangor–Bethesda branch was built in 1884, and the Blaenau Festiniog branch from Llandudno Junction was built in stages between 1863 and 1879. The GWR also built a line between Bala and Blaenau Festiniog in 1883 in an effort to tap slate traffic but, arriving later than the LNWR, it never drew the quantity of traffic of its rival.

The quarry companies had their own narrow gauge railways linking the quarry faces with seaports at Caernarfon, Bangor, and Porthmadog, along with important railheads as the main line network developed. Some of the more famous include the Festiniog Railway, from Blaenau Festiniog to Porthmadog, which received Royal Assent in 1832. The Festiniog was the first to carry passengers when a free service was operated in 1864. Exchange sidings with the Cambrian Railway were opened at Minffordd in 1871 and there were similar sidings at Blaenau Festiniog at both LNWR and GWR termini. The line closed in 1946 only to be reopened by preservationists a few years later. Other narrow gauge slate railways included the Tal-y-Llyn from Tywyn to Abergynolwyn, the Penrhyn Railway which ran from Bethesda to Bangor, and the Padarn Railway which linked the quarry with the port at Portdinorwic. Another interesting railway at Llanberis is the unique Snowdon Mountain Railway which runs to the summit of Snowdon and is the only rack railway in Britain.

The main line companies opened branches to cater for the increasing tourist industry. The Llandudno branch opened in 1858, the Amlwch branch in stages between 1864 and 1867, and the Red Wharf Bay branch in 1909. The Cambrian Railway opened the Dolgellau Branch, linking up with the GWR, in 1869. By 1870 the railway network was virtually complete in Gwynedd and remained almost intact until Dr Beeching put into effect his famous report of 1963.

Most people associate this part of North Wales with holidays by the sea and, in selecting the photographs in this book, I have tried to reflect the days when the railway was king and most people came by train to stations staffed in abundance. While many of the pictures recall busy stations and branches closed courtesy of Dr Beeching, the main lines have not escaped change. Not only have stations closed, but some have been rebuilt or reopened. The landscape around the main line to Holyhead has also changed, not least with the construction of the A55 Expressway from Chester, across the newly road-decked Britannia Bridge, into Anglesey. This road is still an ongoing contract which is bound to have further effects on the area and is tangible evidence of the decline of the railway as a means of mass travel.

Let us, then, take the 'holiday train' for a journey into the past when summers were always long and sunny, so I am told, and remind ourselves of the excitement of going to the seaside and of travelling on the trains that took us there.

RHAN UN • SECTION ONE

Y Prif Lein – Cyffordd Llandudno i Gaergybi

The Main Line – Llandudno Junction to Holyhead

LNWR Dosbarth 'George V' 4-4-0 rhif 2282 Richard Arkwright *yn barod i adael Cyffordd Llandudno gyda trên i Fangor ychydig cyn yr Ail Ryfel Byd.*
LNWR 'George V' class 4-4-0 No. 2282 *Richard Arkwright* awaits departure from Llandudno Junction with a train for Bangor just before the outbreak of the First World War.

Gorsaf Cyffordd Llandudno 'y porth i Wynedd. Ceir darlun o'r orsaf gyntaf yma. Agorwyd yn 1860 ac a enwid fel 'Craigside Hydro'. Safai o fewn ychydig gannoedd o latheni i safle'r orsaf bresennol a agorwyd yn 1897. Datblygodd Cyffordd Llandudno er mwyn gofalu am y drafnidiaeth gynyddol o gangen Llandudno, a aeth cyn hynny i Gonwy, ers 1858, ac i hybu adeiladu'r gangen i Lanrwst, a agorwyd yn 1863.

Gateway to Gwynedd, Llandudno Junction station. Pictured here is the original station, opened in 1860 and named Craigside Hydro, situated a few hundred yards further west than the present station which opened in 1897. Llandudno Junction was developed to cope with increasing traffic from the Llandudno branch, which had been dealt with at Conwy since opening in 1858, and to allow the building of the branch to Llanrwst, opened in 1863.

Cyn LNWR 0–6–2 tanc glo rhif 7841, yn edrych yn y darlun fel pe buasai'r peiriant wedi ei ddal rhwng wageni pan erys am ychydig ar ôl dyletswyddau shyntio yn haf 1941.
Ex LNWR 0–6–2 coal tank No. 7841 appears to be trapped between wagons as it pauses from shunting duties during the summer of 1941.

LNWR Dosbarth 'Renewed Precedent' 2–4–0 rhif 1531 Cromwell *yng Nghyffordd Llandudno o gwmpas 1920. Yr oedd y peiriannau hyn, a elwid 'Jumbos' yn rai llwyddiannus iawn, ac fe'u gwelid ar lannau Gogledd Cymru yn tynnu trenau cyflym am flynyddoedd lawer.*
LNWR 'Renewed Precedent' Class 2–4–0 No. 1531 *Cromwell* at Llandudno Junction c. 1920. These engines, known as 'Jumbos', were very successful and were seen on the North Wales coast, hauling express trains, for many years.

LNWR Dosbarth 'Reknown' 4–4–0 rhif 1922 Intrepid *wrth sied Cyffordd Llandudno o gylch 1920.*
LNWR 'Reknown' class 4–4–0 No. 1922 *Intrepid* at Llandudno Junction shed *c.* 1920.

LNWR Dosbarth 'Renewed Precedent' 2–4–0 rhif 862 Balmoral *wrth sied Cyffordd Llandudno o gylch 1920.*
LNWR 'Renewed Precedent' Class 2–4–0 No. 862 *Balmoral* at Llandudno Junction M.P.D. c. 1920.

LNWR Dosbarth 'Prince of Wales' 4–6–0 rhif 263 di-enw wrth sied Cyffordd Llandudno o gylch 1920.
LNWR unnamed 'Prince of Wales' class 4–6–0 No. 263 at Llandudno Junction motive power depot *c*. 1920.

Dosbarth 'Robinson R.O.D.' 2–8–0 rhif 2350 ger sied Cyffordd Llandudno o gwmpas 1920. Prynwyd y peiriannau hyn oddi wrth y Swyddfa Ryfel ar ddiwedd y Rhyfel Byd Cyntaf. Eu prif bwrpas oedd cludo'r llwythi cerrig trymion o chwareli Penmaenmawr.
'Robinson R.O.D.' class 2–8–0 No. 2350 at Llandudo Junction M.P.D. *c*. 1920. These engines were bought by the LNWR from the War Ministry at the end of the First World War and were mainly used on the North Wales coast for hauling heavy stone trains from the granite quarries at Penmaenmawr.

Cyn LNWR 2–4–2 tanc rhif 6666 yn aros yng Nghyffordd Llandudno gyda thrên leol am Fangor ar y 3 Fehefin 1932.

Ex LNWR 2–4–2 tank No. 6666 waits at Llandudno Junction with a local train for Bangor on 3 June 1932.

LNWR 0–6–2 'coal tank' rhif 2356 ger un o siedau Cyffordd Llandudno yn 1920. Gwelid y peiriannau hyn yn aml ar drenau teithwyr yn lleol ac ar drenau nwyddau a gwaith shyntio.

LNWR 0–6–2 coal tank No. 2356 at Llandudno Junction shed in 1920. These engines were frequently seen on local passenger trains in the area as well as on pick up goods and shunting duties.

LMS 'Black 5' rhif 4911 yn cael ei glanhau'r drwyadl yn y sied yng Nghyffordd Llandudno. Fe ymddengys i'r peiriant newydd hwn gael ei drosglwyddo o'r gweithfeydd yn Crewe.
LMS 'Black 5' No. 4911 is being thoroughly cleaned at Llandudno Junction M.P.D. It appears that this engine is newly delivered from Crewe Works.

Yn edrych i'r dwyrain o Gyffordd Landudno. Ar y chwith mae'r lein i Landudno a'r lein yn cynnwys wageni ar y dde yr arwain i'r cei yng Nghonwy. Mae'r orsaf a'r sied yn y cefndir i'r dde.

Llandudno Junction looking east. On the left is the Llandudno branch, and the line containing wagons on the right leads to Conwy quay. The station and motive power depot are in the right background.

Yn edrych i'r gorllewin o Gyffordd Llandudno gyda Chastell Conwy yn y cefndir. Ar y dde mae'r bont droed yn croesi dros lein Llandudno a'r groesfan. Mae'r darn tir ger y groesffordd driongl ei ffurf yr dangos safle'r orsaf wreiddiol .

Llandudno Junction looking west, with Conwy Castle in the background. On the right is the footbridge over the Llandudno branch and level crossing. The triangle near the level crossing marks the location of the original station.

Daethpwyd dros broblem croesi'r afon Conwy trwy adeiladu pont diwbiwlar yn 1848. Fe'i gwelir yn y darlun bron wedi ei chwblhau. Lluniwyd y pyrth i gydfynd ag adeiladwaith y castell.

Crossing the River Conwy was solved by the construction of a tubular bridge in 1848, seen here near completion. The portals were designed to blend with the nearby castle.

Dyma bont diwbiwlar Conwy wedi'i gorffen. Y mae'n bur debyg i bont Britannia dros y Fenai ac yr oedd mewn gwirionedd yn fersiwn llai o'r bont honno a adeiladwyd i weld a fuasai pontydd o'r fath yn ymarferol fel pontydd rheilffyrdd. Yn y cefndir gwelir castell Conwy a'r lein i Gyffordd Llandudno.

Conwy tubular bridge as complete. It is very similar to the original Britannia Bridge over the Menai Straits and was, in fact, a smaller version to see if this type of construction was practicable for use as a railway bridge. Conwy castle and the railway to Llandudno Junction can be seen in the background.

LMS 'Royal Scot' 4–6–0 rhif 6162 yn mynd heibio iard nwyddau Conwy a'r castell enwog ar ei ffordd i lawr i Gaergybi gyda'r 'Irish Mail'. Ymddanghosodd Dosbarth y 'Royal Scot' ar lannau Gogledd Cymru yn y 1930au cynnar fel y prif bwer ar gyfer yr 'Irish Mail' a redai yn aml yn ddi-stop o Euston. Yr oedd y peiriannau hyn mor lwyddiannus fel mai hwy a ddefnyddid fel prif bwer i dynnu'r 'Irish Mail' nes eu disodlu gan injans BR Britannia yng nghanol y 1950au. Ond parheid i'w harfer ar y glannau yn gyson hyd ddiwedd stêm.

LMS 'Royal Scot' 4–6–0 No. 6162 passes Conwy goods yard and the famous castle on its way to Holyhead with the down 'Irish Mail'. The 'Royal Scot' class appeared on the North Wales coast in the early 1930s as the mainstay of motive power for the 'Irish Mail', often running non-stop from Euston. So successful were these engines that they continued to be the main motive power for the 'Mail' until displaced by BR Britannia 'Pacifics' in the mid 1950s, although they still ran along the coast until the very end of steam.

Gorsaf Conwy (a sillafid fel Conway yr adeg honno) newydd ei hagor yn 1848. Cyn agor Gorsaf Cyffordd Llandudno, Gorsaf Conwy oedd y brif orsaf i ddelio â thrafnidiaeth o Landudno yn ogystal a'r 'Irish Mail'. Lluniwyd y bwa trwy fur y dref i weddu â'r amgylchedd. Cauwyd yr orsaf yn 1966 ond fe'i hagorwyd eilwaith yn 1987, a Chyngor Aberconwy yn dwyn y gost o gael arosfan newydd oherwydd chwydd enfawr yn y traffig gyda'r datblygiadau ar yr A55.

Conwy (then spelt Conway) station when newly opened in 1848. Until the opening of Llandudno Junction, Conwy was the main station, handling traffic from Llandudno as well as 'Irish Mail' trains. The arch through the town wall was designed to blend with its surroundings. The station closed in 1966, only to reopen in 1987 when Aberconwy Borough Council financed the building of a new halt because of severe road congestion caused by the development of the A55 Expressway.

Golygfa o orsaf Conwy o drên yn Awst 1923.

A view of Conwy station as seen from an 'Up' train in August 1923.

Yn nesáu at dwnel Penmaenbach yn 1902 gyda thrên i Fangor. Mae LNWR loco 2–2–2 rhif 803 yn arwain 2–4–0 rhif 1215.
Approaching Penmaenbach tunnel with a train for Bangor, in 1902, is LNWR loco 2–2–2 No. 803 piloting 2–4–0 No. 1215.

Trychineb Penmaenbach 1899. Torrodd y môr trwy'r morglawdd ar y ffordd haearn, a syrthiodd trên nwyddau gyflym ar ei ffordd i Fangor i'r twll a grewyd gan y môr gan ladd y gyrrwr a'r taniwr.

The Penmaenbach disaster of 1899, when the action of the sea breached the sea wall and washed away ground underneath the railway. An express goods train to Bangor fell into the hole made by the sea, killing the driver and fireman.

Penmaenbach, yn dangos enghraifft o signal is-gwadrant pell y LNWR.
Penmaenbach, showing an example of a lower quadrant LNWR distant signal.

LMS 4F 0–6–0 ar ddyletswydd rhoi balast ar y traciau i'r dwyrain o orsaf Penmaen-mawr. Cynnyrch y mynydd cyfagos oedd balast.
LMS 4F 0–6–0 on track ballasting duties east of Penmaenmawr station, the ballast being a product of the nearby mountain.

Gorsaf Penmaenmawr tua 1900. Yn y darlun hwn gwelir y fynedfa i seidins gwenithfaen Cwmni Darbishire, lle y deuai llawer o falast ar gyfer rheilffordd y LNWR. Mae'r mynydd o'r lle cynhyrchwyd y cerrig hyn ac sy'n dal i'w cynhyrchu yn gwgu'n synfyfyriol yn y cefndir. Ar y traeth gwelir y cytiau ymdrochi ar gyfer ymwelwyr ac mae'r jeti i lwytho'r llongau ychydig y tu hwnt i'r orsaf.

Penmaenmawr station c. 1900. In this view is the entrance to the granite sidings of the Darbishire Company, where much railway ballast for the LNWR was supplied. The mountain where it was (and is) produced broods in the background. On the shore are the bathing machines for holidaymakers, and the jetty for the loading of ships is just beyond the station.

Yn 1950 bu gwrthdrawiad rhwng yr 'Irish Mail' a thrên ysgafn ym Mhenmaenmawr yn ystod oriau cynnar y 17 Awst. Dyma'r ddau beiriant a fu'n gysylltiedig â'r ddamwain: y 'Royal Scot' rhif 46119 Lancashire Fusilier *a 'Crab' rhif 42885. Fe ddangosir peiriannwyr y rheilffyrdd yn eu gwahanu.*

In 1950 the 'Irish Mail' collided with a light engine at Penmaenmawr in the early hours of 27 August. Here the two engines involved, 'Royal Scot' No. 46119 *Lancashire Fusilier* and 'Crab' No. 42885, are being separated by railway engineers.

Lladdwyd chwech ac anafwyd 37 yn y ddamwain. Niweidiodd y nifer mwyaf lle'r roedd cerbyd cysgu o bren wedi ei gyplu yn nesaf at yr injan. Gwelir hyn ar y chwith eithaf i'r olygfa hon o'r ddamwain.

The accident killed six and injured thirty-seven. Most fatalities occurred at the front of the train where an all-wooden sleeping car had been marshalled. This is seen on the extreme left of this view of the wreckage.

Yn gorffwyso yn seidins y chwarel tu ôl i orsaf Penmaenmawr yn yr 1930au y mae LMS 4F 0–6–0 rhif 4106.

Resting in the quarry sidings behind the station at Penmaenmawr, in the 1930s, is LMS 4F 0–6–0 No. 4106.

418

PENMAENMAWR AND WELSH GRANITE CO.

LIMITED.

The Quarries are situated at

PENMAENMAWR and
TREVOR, nr. Carnarvon.

The **STONE** supplied for the maintenance and construction of Roads has been known and used for over **SEVENTY YEARS** with the **BEST RESULTS.**

The regularly increasing demand for it proves that its practical value is continually being more and more appreciated.

It is **TOUGH, HARD, ADHESIVE, IMPERVIOUS TO MOISTURE,** and sustains the wear and tear of the heaviest traffic in a **wonderfully satisfactory manner.**

The Company makes all sizes of **SETTS, SELF-FACED** and **TOOLED KERBS** and **CHANNELS** and **WHEELERS; MAÇADAM, CHIPPINGS, FERRO-CONCRETE MATERIAL, BREAKERS,** and **RAILWAY BALLAST.**

TARRED MACADAM MANUFACTURED BY UP-TO-DATE AND APPROVED PLANTS. A SPECIAL FEATURE.

Orders are supplied by **RAIL, SEA** and **CANAL.**

Head Office—
PENMAENMAWR, where all communications will receive promptest attention.
Telephone No. 11 and 43. *Telegrams*—"Granite, Penmaenmawr."

LIVERPOOL—
No. 4 Harrington Street.
Telegrams—"Pavement, Liverpool."
Telephone—Nos. 4957-8 Bank.

CARDIFF—
No. 18 Quay Street.
Telegrams—"Granite, Cardiff."
Telephone—No. 1970 Cardiff.

SOUTHERN AGENTS—
BRITISH MACADAMS LTD.,
No. 122 Cannon Street, London, E.C.
Telegrams—"Propotmac, Cannon, London."
Telephone—No. 3421 City.

Inclên Penmaenmawr, prif rheilffordd y Cwmni i gystylltu'r chwarel â'r seidins a'r pier.
Penmaenmawr main railway incline, linking the quarry face with the railway sidings and jetty.

Seidins Cwmni Brundrit i'r gorllewin o Benmaenmawr fel yr edrychent yn 1900. Y mae'r olygfa hon yn dangos ystorfeydd mawrion y cerrig o'r pier gyda llong yn barod i'w llwytho.
The sidings of the Brundrit Company, west of Penmaenmawr, as they appeared in 1900. This view shows the hoppers for storage of stone and the pier with a ship docked ready for loading.

Tua 1875: Penmaenmawr yn wynebu'r dwyrain. Yn tu blaen y darlun un o seidins y Brundrit Company a weithiai'r ithfaen ar y rhan orllewinol o fynydd Penmaenmawr.Yr enw hwn a roddwyd i'r orsaf a'r dref. Y mae'r draws-bont a welir yn yr olygfa yma, yn cludo rheilffordd gul y cwmni dros y brif reilffordd ac i'r seidins. Yr oedd pont gyffelyb wedi ei hadeiladu yn nes i'r orsaf: gweler hi ynghanol y darlun yn y cefndir. Cludid rheilffordd Cwmni Darbishire dros y bont i'w seidins hwythau y tu ôl i'r orsaf. Paratowyd glanfeydd i gludo cerrig dros y môr ac adeiladwyd glanfeydd cryfach eu saerniaeth yn 1888.

Penmaenmawr looking east *c.* 1875. In the foreground are the sidings of the Brundrit Company who quarried granite on the western side of Penmaenmawr mountain, after which the town took its name. The overbridge in this view carried the company's narrow gauge railway over the main line on to the sidings. A similar bridge was built nearer to the station, seen in the centre background, to carry the railway of the competing Darbishire Company to their own sidings behind the station. The jetties were provided for transport of stone by sea and were replaced by more substantial structures in 1888.

Pan agorwyd rheilffordd Caer a Chaergybi adeiladwyd y lein o dwnel Penmaenmawr i Lanfairfechan ar gob ond golchid hwn ymaith yn aml pan fyddai i'r mor yn uchel ac ystormus. I oresgyn y broblem hon codwyd traphont isel dros y rhan hon o'r glannau i gario'r lein. Gweler y canlyniad yn y darlun. Deil y draphont o hyd mewn iws ac ni fygythiwyd hi hyd yma gan y môr.

When the Chester and Holyhead Railway was opened the line from Penmaenmawr tunnel to Llanfairfechan was built on an embankment but heavy seas kept washing it away. To solve the problem a low viaduct was built to carry the line over this part of the coast. The result can be seen here. The viaduct is still in use and has never been threatened by the sea.

Dyma fynedfa gorllewinol y twnel trwy fynydd Penmaenmawr ychydig wedi agor y lein yn 1848. Bu i hyn a thwnel arall trwy Benmaenbach ddatrys problem o dorri'r lein trwy'r ddau benrhyn.

The western portal of the tunnel through the mountain of Penmaenmawr shortly after the line opened in 1848. This, along with the tunnel at Penmaenbach, solved the problem of getting the railway through the twin headlands.

Cyn LNWR 4–4–0 'Precursor' rhif 25277 yn mynd trwy Llanfairfechan yn tynnu trên leol i Fangor. Yn y cefndir mae mynydd Penmaenmawr.
Ex LNWR 4–4–0 'Precursor' No. 25277 passes through Llanfairfechan with a local train for Bangor. In the background is Penmaenmawr mountain.

Cyn LNWR Webb 0–6–2 'coal tank' rhif 27654 o flaen trên leol yn mynd trwy Llanfairfechan ar ei ffordd i Fangor.

Ex LNWR Webb 0–6–2 coal tank No. 27654 heads a local train through Llanfairfechan on its way to Bangor.

LNWR Injan 2–2–2 rhif 306 yn arwain 4–4–0 rhif 1935 trwy Llanfairfechan gyda thrên i Gaer yn 1902.
LNWR loco 2–2–2 No. 306 pilots 4–4–0 No. 1935 through Llanfairfechan with a train for Chester in 1902.

'Precursor' anhysbys yn nesáu at ben gorllewinol gorsaf Llanfairfechan yn ystod haf 1941 gyda thrên i Gyffordd Llandudno.
Unidentified 'Precursor' approaches the western end of Llanfairfechan station during the summer of 1941 with a train for Llandudno Junction.

LNWR Dosbarth 'Prince of Wales' 4–6–0 rhif 1744 efo trên gyflym yn codi bagiau'r post ger gorsaf Aber tua 1920.
LNWR 'Prince of Wales' class 4–6–0 No. 1744 on an 'Up' express about to pick up mail near Aber c. 1920.

LMS 'Royal Scot' 4–6–0 rhif 6101 Royal Scots Grey *ger Aber yn tynnu rhan Fangor o'r 'Welshman'. Fe redai'r 'Welshman' yn ddi-stop o Euston i Brestatyn. Fe rennid y trên yn y Rhyl, gydag un rhan ar gyfer Pwllheli, Cricieth, a Phorthmadog yn rhedeg heb aros nes cyrraedd Bangor ac yna i Afon-Wen, gan ei rhannu eto yn y fan honno efo rhai cerbydau'n mynd i Bwllheli a'r lleill i Gricieth a Phorthmadog. Yr oedd y gweddill o'r 'Welshman' yn rhedeg o'r Rhyl i Landudno, gan aros ym mhob gorsaf.*

LMS 'Royal Scot' 4–6–0 No. 6101 *Royal Scots Grey* near Aber on the Bangor portion of the 'Down' 'Welshman'. The 'Welshman' would run non-stop from Euston to Prestatyn, then divide at Rhyl. One portion for Criccieth, Pwllheli and Porthmadog running non-stop to Bangor, thence to Afon-Wen where it would divide again, some coaches for Criccieth and Porthmadog, the others for Pwllheli. The remainder of the 'Welshman' ran from Rhyl and all stations to Llandudno.

LMS 'Royal Scot' 4–6–0 rhif 6135 Samson *yn mynd heibio seidins Penrhyn, Llandygái gyda thrên am Gaergybi ar 27 Dachwedd 1932.*
LMS 'Royal Scot' 4–6–0 No. 6135 *Samson* passes Penrhyn sidings, Llandegái with a 'Down' train for Holyhead on 27 November 1932.

LMS 'Royal Scot' rhif 6161 Kings Own *yn tynnu'r 'Irish Mail' tua thwnel Llandygái yn 1934.*
LMS 'Royal Scot' No. 6161 *Kings Own* hauls an 'Up' 'Irish Mail' towards Llandegai tunnel in 1934.

Cyn LNWR 'Claughton' 4–6–0 (anhysbys) ar drên 3 p.m. o Fanceinion i Fangor ger Tal-y-Bont.

An unidentified ex LNWR 'Claughton' class 4–6–0 on the 3 p.m. Manchester to Bangor train at Tal-y-Bont.

LMS 'Royal Scot' yn dyfod allan o dwnel Eifftaidd Bangor gyda thrên i Euston ar ddydd Sul.

LMS 'Royal Scot' emerges from the Egyptian-style Bangor tunnel with an 'Up' Sunday working to Euston.

Gorsaf Bangor wrth edrych i'r gorllewin, yn ei chyflwr gwreiddiol. Adeilad Francis Thompson oedd y brif fynedfa yr adeg yma. Y mae trên nwyddau cymysg yn sefyll wrth y platfform tra mae trên gyflym yn mynd i'r dwyrain trwy'r orsaf.

Bangor station, looking west, in original condition. Francis Thompson's building is still the main entrance at this time. A mixed goods train stops at the platform while an eastbound express passes the station on the through 'Up' line.

Gorsaf Bangor yn yr 1870au, wrth edrych tua'r dwyrain. Bydd y ddinas yn datblygu llawer iawn eto. Nid yw adeiladau'r Brifysgol yma eto. Bydd deng mlynedd ar hugain arall cyn yr ymddanghosant.

Bangor station in the 1870s from the hill, looking east. The city is still to expand and the University buildings, a local landmark, will not appear for at least another thirty years.

Gorsaf Bangor yn wynebu'r gorllewin, yn fuan wedi'r ehangu yn 1927.
Bangor station, looking west, shortly after extension work had been carried out in 1927.

Gorsaf Bangor yn niwedd y 1940au. Gwelir yn glir effeithiau'r ail adeiladu, yn cynnwys y bont döedig a gysylltai bob platfform a'i gilydd. Fe lenwyd i mewn yr holl draciau ar y dde yn ogystal â'r rhan fwyaf ar y chwith yn ystod y 1980au cynnar.

Bangor station in the late 1940s. The results of rebuilding work can be clearly seen, including the covered footbridge linking all the platforms. Tracks on the right of the picture were lifted in the early 1980s, as were most of those on the left.

Gan ei bod yn gyffordd ac ystorfa bwysig byddai staff niferus bob amser yng ngorsaf Bangor, fel y gwelir yn y darlun hwn yn 1892.
Bangor station always had a large staff, being an important junction and depot, as can be seen in this picture of 1892.

Staff gorsaf Bangor yn sefyll y tu allan i'r fynedfa wreiddiol yn 1912.
Station staff stand in front of the original Bangor station entrance in 1912.

Tŷ'r gorsaf-feistr a'r fynedfa i orsaf Bangor ar droad y ganrif. Dymchwelwyd y tŷ yn 1927 er gwneud lle i waith ehangu, ac fe luniwyd mynedfa newydd.

The station master's house and entrance to Bangor station at the turn of the century. The house was demolished to make way for the 1927 extension and the entrance was remodelled.

Ffordd draddodiadol y Cwmniau Rheilffordd o gludo nwyddau o'r gorsafoedd i'r cwsmeriaid. Defnyddiwyd ceffylau a throliau ar ddechrau'r ganrif.

Typical road transport of the early twentieth century, used by the Railway Company. These horses were attached to carts for delivery of goods between railway and customer.

Wyneb gwreiddiol gorsaf Bangor a gynlluniwyd gan Francis Thompson, pensaer Rheilffordd Caer a Chaergybi. Wedi ei hagor yn 1848 hi oedd terfyn y lein nes agor bont Britannia yn 1850.

The original Bangor station frontage, designed by Chester and Holyhead Railway architect, Francis Thompson. Opened in 1848, the station was the terminus of the railway until the Britannia bridge opened in 1850.

Wedi i'r orsaf wreiddiol gael ei hynysu ar blatfform dwyochrog yn ystod y gwaith ail-lunio, fe gododd yr LMS yr adeilad newydd hon yn 1927, a ddefnyddir hyd heddiw.

Following the isolation of the original frontage on the island platform, the LMS built this new one in 1927. This is still in use today.

LMS 'Royal Scot' rhif 6115 Scots Guardsman, *sy'n awr wedi ei hadnewyddu a'i diogelu, yn tynnu yr 'Irish Mail' heibio Bocs y Gogledd ym Mangor.*
LMS 'Royal Scot' No. 6115 *Scots Guardsman*, now preserved in rebuilt form, hauls the 'Up' 'Irish Mail' past Bangor North Box.

Cyn LNWR 'Claughton' 4–6–0 (wedi ei hail-adeiladu) rhif 6023 Sir Charles Cust *yn aros yng Ngorsaf Bangor gyda thrên i Gaergybi.*
Ex LNWR rebuilt 'Claughton' class 4–6–0 No. 6023 *Sir Charles Cust* pauses at Bangor station with a Holyhead train.

LMS 'Royal Scot' rhif 6163 yn gadael gorsaf Bangor gyda thrên i Crewe.
LMS 'Royal Scot' No. 6163 leaves Bangor station with a train for Crewe.

'Royal Scot' rhif 6159 ar flaen yr 'Irish Mail' ar y ffordd i Gaergybi. Y mae'r 'Webb coal tank' yn gofalu am ddyletswyddau shyntio ar y dde.

'Royal Scot' No. 6159 heads the 'Down' 'Irish Mail' through Bangor station on its way to Holyhead. A Webb coal tank is in view on the right of the picture, probably on shunting duties.

Ar 15 Orffennaf 1937 bu ymweliad Brenhinol â Gogledd Cymru. Cawn yma injans tanc Stanier 2–6–4 rhifau 2493 a 2192 yn arwain y trên Frenhinol heibio Bocs rhif Dau Bangor.

There was a royal visit to North Wales on 15 July 1937. Stanier 2–6–4 tanks Nos. 2493 and 2192 head the royal train past Bangor No. 2 Box.

Cyn LNWR 'George V' 4–4–0 yn arwain standard 'Compound' 4–4–0 ar 'Irish Mail' ychwanegol am Lundain yng Ngorsaf Bangor.
Ex LNWR 'George V' class 4–4–0 pilots a standard 'Compound' 4–4–0 on the 'Up' relief 'Irish Mail' at Bangor station.

Ymweliad Brenhinol arall ar 18 o Orffennaf 1946; gwelir 'Black 5s' 4969 a 4970 ar ddyletswydd gyda'r trên frenhinol yng Ngorsaf Bangor.
Another royal visit on 18 July 1946 saw 'Black 5s' 4969 and 4970 on royal train duty at Bangor station.

LMS 'Black 5' rhif 5109 yn gadael platfform y gilfach yng ngorsaf Bangor gyda thrên teithwyr i Gaernarfon ac Afon-Wen.

LMS 'Black 5' No. 5109 leaves the Bay platform at Bangor station with a passenger train for Caernarfon and Afon-Wen.

LNWR 2–2–2 Dosbarth 'Problem' neu 'Lady of the Lake', loco a welir yma fel Engineer Bangor. *Dyma y peiriannau cynnar mwyaf llwyddiannus ar lein Caer i Gaergybi ac fe'u defnyddid yn aml i dynnu'r 'Irish Mail' yn ddi-stop o Gaer.*
LNWR 'Problem' or 'Lady of the Lake' class loco seen here as *Engineer Bangor*. These were the first really successful engines on the Chester and Holyhead Railway and were often used on the 'Irish Mail', non-stop from Chester.

LNWR Dosbarth 'Samson' 2–4–0 wrth sied Bangor tua 1920. Yr oedd y peiriant wedi ei dynnu i ffwrdd o waith cyffredin ac fe'i harferid i wneud gwaith gofalaeth rheilffyrdd. Rhoddid enw'r orsaf y cedwid hwynt ynddynt i'r peiriannau hyn. Dyna y rheswm am yr enw Engineer Bangor *ar ochr y caban.*
LNWR 'Samson' class 2–4–0 at Bangor shed c. 1920. The engine had been withdrawn from normal main line duties and was used in connection with local maintenance work. Engines so used were named after the depot to which they were allocated, hence the name *Engineer Bangor* on the cabside.

LNWR Dosbarth 'Jubilee' 4–4–0 rhif 1923 Agamemnon *ar drofwrdd sied Bangor yn y 1920au cynnar.*
LNWR 'Jubilee' class 4–4–0 No. 1923 *Agamemnon* on the turntable at Bangor M.P.D. in the early 1920s.

Stanier 2–6–4 Injan danc rhif 2493 yn derbyn sylw arbennig gan staff sied ym Mangor cyn mynd i dynnu y Drên Frenhinol ar 14 Orffennaf 1937.
Stanier 2–6–4 tank No. 2493 is being given careful attention by shed staff prior to hauling the royal train on 14 July 1937.

Gorsaf Bangor: golygfa o dwnel Belmont yn dangos sied atgyweirio wageni yn nhu blaen dde, a sied y peiriannau y tu ôl. Tynnwyd y darlun hwn yn fuan ar ôl i'r LMS adeiladu cylchleiniau newydd oddi amgylch adeilad yr orsaf wreiddol a'i gadael wedi ei neilltuo ar blatfform canol yr orsaf. Adeiladwyd mynedfa newydd i'r orsaf yn ei le.
A view of Bangor station from Belmont tunnel showing a wagon repair shop in the right foreground and the locoshed behind. This picture was taken shortly after new loops were added by the LMS which isolated the original station building on the island platform. A new entrance was built to replace it.

Golygfa o orsaf Bangor ar ddechrau rhaglen yr ail-adeiladu yn 1924. Mae'r orsaf yn hynod brysur yr adeg yma gyda phob platfform wedi' i feddiannu. Gwelir defnyddiau adeiladu ar y platfform canol. I'r dde mae'r ystorfa nwyddau, seidins cerbydau, a sied yr injans.

A view of Bangor station at the commencement of the rebuilding programme in 1924. The station is extremely busy at this time with all platform faces occupied. Building materials can be seen on the centre platform. To the right are the goods depot, carriage sidings, and motive power depot.

LMS 'Royal Scot' rhif 6156 yn tynnu'r 'Irish Mail' yn agosáu at offeryn llwythog y post ger twnel Belmont, Bangor.
LMS 'Royal Scot' No. 6156 on the 'Up' 'Irish Mail' approaching loaded mail apparatus near Belmont tunnel, Bangor.

Cyn LNWR 'Prince of Wales' 4–6–0 anhysbys yn tynnu trên teithwyr lleol ger pont Belmont, Bangor.
Unidentified ex LNWR 'Prince of Wales' 4–6–0 hauls a local passenger train near Belmont bridge, Bangor.

LMS 'Royal Scot' rhif 6162 yn mynd heibio Coed Menai i'r gorllewin o Fangor gyda thrên yn cludo nwyddau.
LMS 'Royal Scot' No. 6162 passes Menai Woods, just west of Bangor, with a freight train.

Gorsaf Porthaethwy a'r staff tua 1900. Mewn gwisg grand swyddogol mae Dafydd 'Bodlondeb', Mr Worrell yn gwisgo het galed. W.J. Williams yw'r ail o'r chwith gyda'r cadwyn oriawr, John Styles yn sefyll y tû ol i fachgen sy'n eistedd ar y platfform, ac Owen Owens yn eistedd ar y bocs. Nid yw'r gweddill yn hysbys.

Menai Bridge station and staff *c.* 1900. In smart uniform is Dafydd 'Bodlondeb', Mr Worrell has the bowler hat, W.J. Williams is second left with watchchain. John Styles is standing behind the unknown lad sitting on the platform, and Owen Owens is seated on the box. The rest are not known.

LMS 'Black 5' 4–6–0 rhif 5311 yn mynd trwy orsaf Borthaethwy am Gaergybi gyda 'Irish Mail' ychwanegol.
LMS 'Black 5' 4–6–0 No. 5311 passes Menai Bridge station with a 'Down' relief 'Irish Mail' for Holyhead.

LMS 'Royal Scot' rhif 6139 The Welch Regiment *yn tynnu'r 'Irish Mail' trwy orsaf Borthaethwy ar y 30 Ebrill 1938.*
LMS 'Royal Scot' No. 6139 *The Welch Regiment* hauls the 'Down' 'Irish Mail' through Menai Bridge station on 30 April 1938.

LMS 'Royal Scot' rhif 6101 Royal Scots Grey *yn tynnu 'Irish Mail' ychwanegol yn nesáu at Bont Britannia.*

LMS 'Royal Scot' No. 6101 *Royal Scots Grey*, hauling the 'Up' relief 'Irish Mail', approaches the Britannia Bridge.

LMS 'Royal Scot' rhif 6129 Comet *yn tynnu'r 'Irish Mail' rhwng Pont Britannia a gorsaf Porthaethwy.*

LMS 'Royal Scot' No. 6129 *Comet* hauling the 'Up' 'Irish Mail' between the Britannia Bridge and Menai Bridge station on the mainland of North Wales.

Adeiladwyd Pont Britannia gan Robert Stephenson rhwng 1846 a 1850 i uno Môn a thir Mawr Gogledd Cymru. Cludai drenau yn uchel dros y Fenai i ufuddhau i ofynion y Morlys fod rhaid i longau allu hwylio o tani. Ffurfiwydy bont gan ddau diwb haearn gyda phob lein yn meddu ar ei thiwb ei hun. Yn y llun hwn mae'r pieri a'r pileri cynnal y bont yn cael eu hadeiladu.

The Britannia Bridge was built by Robert Stephenson between 1846 and 1850 to link Anglesey with mainland North Wales. It carried trains high over the Menai Straits in order to comply with demands of the Admiralty that ships should have free passage underneath. The bridge was a twin iron tube structure with the 'Up' and 'Down' lines having their own tube. In this view, the bridge supports and piers are under construction.

Y mae un o'r tiwbiau yn cael ei ffurfio ar y tir cyn ei nofio allan i'r Fenai. Yna fe'i codid i'w le a'i rifetio i'r tiwb arall. Roedd y leinin tu fewn i'r tiwb yn bren a hyn fu'r fodd yn y diwedd i ddryllio'r tiwbiau; ar y 23 Fai 1970 llosgwyd y bont trwy i fechgyn wneud torchau papur a'u tanio i chwilio am wyau adar yn ymyl y bont. Nid oes tiwbiau i'r bont mwyach a rhed y ffordd A55 ar ddec uchel a adeiladwyd uwchben y rheilffordd.

One of the tubes is being constructed on land before being floated out to the Menai Straits. From there it was jacked up into position and rivetted to the next tubular section. The tubes were timber-lined and it was this timber that was to ultimately destroy the iron tubes when, on 23 May 1970, the bridge was consumed by fire after boys lit a paper torch while looking for birds eggs near the bridge. The bridge is now a single track cantilever structure, without tubes, and a road deck above to accommodate the new A55 Expressway.

LMS 'Royal Scot' rhif 6147 yn dod allan o Bont Britannia gyda thrên gyflym i Euston yn ystod y 1930au.

LMS 'Royal Scot' No. 6147 emerges from the Britannia Bridge with an express for Euston during the 1930s.

Cyn LNWR 'Prince of Wales' rhif 5789 yn gadael Pont Britannia yn tynnu llwyth o wartheg o'r Iwerddon, o Gaergybi. Gwelir un o'r Llewod Eifftaidd sy'n gwarchod y bont yn y llun hwn.

Ex LNWR 'Prince of Wales' class No. 5789 leaves the Britannia Bridge with an 'Up' train of Irish cattle from Holyhead. One of the four 'Egyptian Lions' guarding the bridge is seen in this view.

LMS 'Royal Scot' rhif 6113 Cameronian *yn gadael Pont Britannia gyda thrên gyflym ar 26 o Fawrth 1930.*

LMS 'Royal Scot' No. 6113 *Cameronian* leaves Britannia Bridge with an 'Up' express on 26 March 1930.

Llanfairpwllgwyngyllgogerychwyrndrobwll-Llantysiliogogogoch, yr enw hiraf ar unrhyw orsaf ym Mhrydain. Y talfyrriad ohono yw Llanfair P.G. Oddiyma y cychwynai'r lein i Gaergybi cyn adeiladu Pont Britannia a'i hagor yn 1850.
Llanfairpwllgwyngyllgogerychwyrndrobwll-Llantysiliogogogoch, known locally as Llanfair P.G., the longest main line station name in Britain. It was the beginning of the line to Holyhead in 1848 until the Britannia Bridge opened in 1850.

Llanfair P.G., yr enw ar fwrdd enw yr LMS.
Llanfair P.G. nameboard of the LMS.

Staff gorsaf Llanfair P.G. yn 1948. Cauwyd yr orsaf yn 1966 ond fe'i hagorwyd eto yn 1970 pan llosgwyd Pont Britannia. Bu'r orsaf yn agored byth er hynny ac yn denu ymwelwyr.

Station staff at Llanfair P.G. in 1948. The station closed in 1966, only to reopen in 1970 after the Britannia Bridge fire. It has remained open ever since and is a tourist attraction in its own right.

Ex LNWR 'Prince of Wales' W.M. Thackeray *yn gadael Llanfairpwll gyda thrên leol i Gaergybi.*
Ex LNWR 'Prince of Wales' class *W.M. Thackeray* leaves Llanfair P.G. with a local train for Holyhead.

LMS 'Royal Scot' rhif 6113 yn tynnu yr 'Irish Mail' ger Gaerwen.
LMS 'Royal Scot' No. 6113 hauls the 'Up' 'Irish Mail' near Gaerwen.

LMS 'Royal Scot' rhif 6125 3rd Carbinier *ar 'Irish Mail' ychwanegol yn mynd trwy orsaf Tŷ Croes.*
LMS 'Royal Scot' No. 6125 *3rd Carbinier* on a relief 'Irish Mail' passes through Ty Croes station.

LMS Dosbarth 'Jubilee' 4–6–0 rhif 5470 Munster *yn gadael Caergybi gyda thrên gyflym am Crewe yn niwedd y 1930au.*
LMS 'Jubilee' class 4–6–0 No. 5470 *Munster* leaves Holyhead with an express for Crewe in the late 1930s.

Golygfa o'r Drên Frenhinol yng Nghaergybi yng ngofal LNWR loco rhif 1915. Bu ymweliadau brenhinol i arfordir Gogledd Cymru yn weddol aml dros y blynyddoedd er pan agorwyd lein Caer a Chaergybi. Y mae'r gwesty, a gauwyd yn 1951, i'w weld yn y cefndir.

A view of the royal train at Holyhead with LNWR 2–4–0 loco No. 1915 in charge. Royal visits to the North Wales coast have been frequent over the years since the Chester and Holyhead Railway was opened. The hotel, closed in 1951, is visible in the background.

Yr oedd gorsaf Caergybi yn hynod bwysig fel man cyd-gyfnewid gyda'r llongau yn mynd i'r Iwerddon ac yn dod oddiyno. Oherwydd hyn cyflogid staff niferus fel y gwelir yn y darlun hwn yng nghyfnod y LNWR.

Holyhead station was a very important interchange with ships to and from Ireland. In view of this there was a large staff, as can be seen in this picture taken in LNWR days.

Golygfa o sied yr injans yng Nghaergybi yn nyddiau'r LNWR. Mae llawer o beiriannau'r cwmni i'w gweld, rhai yn cael eu paratoi ar gyfer dyletswyddau yn hwyrach yn y dydd. Dechreuwyd ar y gwaith o dynnu'r sied yma i lawr yn 1989.

A view of the Motive Power Depot at Holyhead during LNWR days. Several of that company's engines are on view, some being prepared for passenger train duties later that day. The shed was in the process of being demolished during 1989.

LMS 'Royal Scot' rhif 6159 Royal Air Force *yn cael ei pharatoi ar gyfer gwaith y tu allan i'r sied yn Nghaergybi yn nechrau'r 1930au. Ni allai'r peiriant fod yn fwy na rhyw dair blwydd oed yr adeg honno. Sylwer ar y patrwm cynnar o declynnau gwyro mŵg.*
LMS 'Royal Scot' No. 6159 *Royal Air Force* being prepared for duty outside Holyhead shed in the early 1930s. The loco would only have been two or three years old at this time and is fitted with early pattern flat smoke deflectors.

Cyn LNWR Ramsbottom tanc arbennig 0–6–0ST wrth sied Caergybi yn 1935. Defnyddid y peiriant hwn amlaf yng ngorsaf Caergybi ar gyfer gwaith shyntio.
Ex LNWR Ramsbottom special tank 0–6–0ST at Holyhead M.P.D. in 1935. This engine was generally used on shunting duties at Holyhead station.

Seidins nwyddau yng Nghaergybi lle y llwythid holl nwyddau o ac i'r Iwerddon. Yn yr harbwr y mae llong cargo yn barod i adael am y Weriniaeth.
The freight sidings at Holyhead, where all goods to and from Ireland were loaded. In the harbour is a cargo ship about to leave for the Republic.

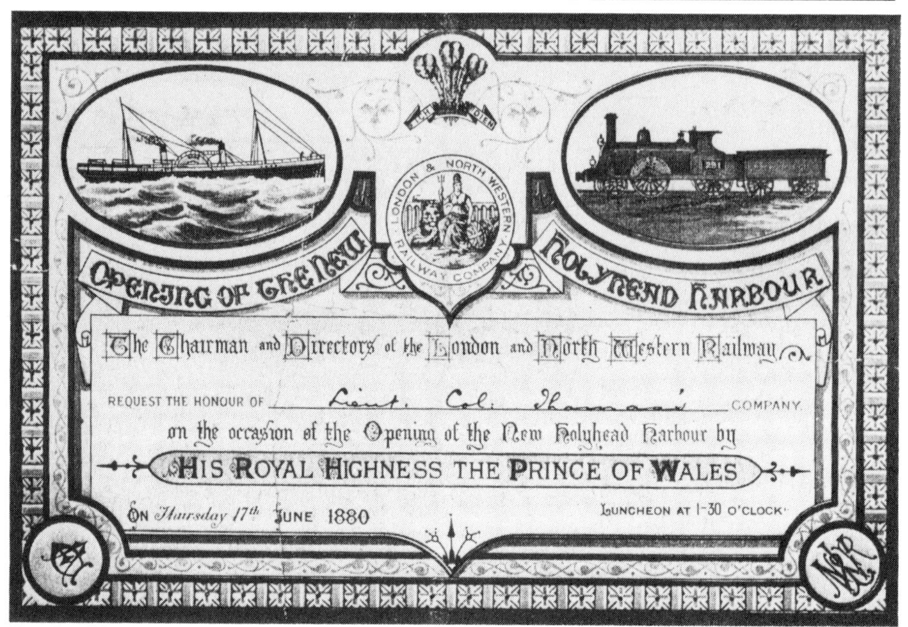

Opening of the New Holyhead Harbour

The Chairman and Directors of the London and North Western Railway

REQUEST THE HONOUR OF Lieut. Col. Thomas's COMPANY

on the occasion of the Opening of the New Holyhead Harbour by

HIS ROYAL HIGHNESS THE PRINCE OF WALES

ON Thursday 17th JUNE 1880

LUNCHEON AT 1-30 O'CLOCK

Gwahoddiad addurnedig i seremoni agor porthladd newydd Caergybi.
An illuminated invitation to the opening of the newly-constructed harbour at Holyhead.

Dyma'r rheswm am y cwbl: yr SS Connemara, *llong Wyddelig, yn croesi'r môr rhwng Caergybi a Dulyn. Cysylltu Llundain a Dulyn oedd pwrpas adeiladu Rheilffordd Caer i Gaergybi, ac o borthladd Caergybi y gwneid hynny. Byddai hyn hefyd yn newid bywyd cymdeithasol ac economaidd Gwynedd, er efallai y dadleua rhai na fu hyn er gwell.*
The reason for it all, SS *Connemara*, Irish Steam Packet, crosses the Irish Sea between Holyhead and Dublin. The Chester–Holyhead line was built to connect London with Dublin via the port of Holyhead, and, in the process, changed the social and economic life of Gwynedd; some would argue that it may not have been for the better.

RHAN DAU • SECTION TWO

Y Canghennau

The Branches

LMS Hughes-Fowler 'Crab' 2–6–0 rhif 13204 yn aros ar y bwrdd troi yn Llandudno ar ôl dod â thrên o Ogledd Orllewin Lloegr.
LMS Hughes-Fowler 'Crab' 2–6–0 No. 13204 sits on the turntable at Llandudno after bringing in a train from the north-west of England.

Darlun swyddogol y LNWR yn dangos sied y trenau yn Llandudno ar droad y ganrif. Bu defnydd cyson o'r ffyrdd rhwng y ddau blatfform gan dacsis a gludai teithwyr i westai'r dref. Chwalwyd tô'r orsaf yng ngwanwyn 1990.

An LNWR official photograph showing the train shed of Llandudno station at the turn of the century. The roadways between the platforms have always been used by cabs and taxis for ferrying railway passengers to hotels in the resort. The train shed roof was demolished in the spring of 1990.

Amgylchiad arbennig yng ngorsaf Llandudno. Ymweliad Tywysog Cymru, Iorwerth VII wedi hynny, â'r dref yn 1899.
A special occasion at Llandudno station when the Prince of Wales, the future Edward VII, visited Llandudno in 1899.

Y mae Llandudno yn gyrchfan gwyliau poblogaidd ers llawer o flynyddoedd gyda'r ymwelwyr yn teithio yno gyda'r trên. Deil yr olygfa hon awyrgylch yr orsaf ychydig ar ôl diwedd yr ail ryfel byd gyda chyrhaeddiad trên lawn o ymwelwyr. Fe fuasai'r orsaf llawn mor brysur yn gynt yn y dydd pan fyddai'r ymwelwyr yn dychwelyd gartref ar ôl eu hwythnos o wyliau.

Llandudno has been a popular holiday resort for many years, with visitors coming for a holiday by train. This scene captures the atmosphere of the station shortly after the arrival of a train full of holidaymakers during the early post-Second-World-War period. The station would have been just as busy earlier in the day with visitors returning home after their week's holiday.

Cyn LNWR 2–4–2 tanc rhif 6666 yn barod i adael gorsaf Llandudno gyda thrên leol dynnu a gwthio i Gyffordd Llandudno ar y 3 o Fehefin 1932.

Push-pull fitted ex LNWR 2–4–2 Tank No. 6666 prepares to leave Llandudno station with a local train for Llandudno Junction on 3 June 1932.

LMS Hughes-Fowler 'Crab' rhif 13165 yn aros ei thro am ei dyletswyddau yn Llandudno.

LMS Hughes-Fowler 'Crab' No. 13165 awaits its turn of duty at Llandudno.

Gwelir yma y gystadleuaeth fygythiol a oedd i ddod oddi wrth trafnidiaeth y ffyrdd. Dyma o'r 1920au olygfa y tu allan i orsaf Deganwy, gyda Dennis Armchair Charabancs. Maent yn llawn o bleserdeithwyr, a ddaeth i'r dref yn ôl pob tebyg gyda'r trenau. Mae'n ddiddorol ddyfalu pam iddynt ddod o'r trên yn Neganwy ac nid mynd ymlaen i Landudno.

Potential competition from the roads is seen here with this view of Dennis Armchair Charabancs outside Deganwy station in the 1920s. They appear to be full of day trippers who may well have come to the town by train. It is interesting to speculate why they alighted at Deganwy instead of going on to Llandudno.

Rhedid gwibdeithiau o'r Potteries i Ogledd Cymru yn yr haf gan y North Staffordshire Railway: NSR 4–4–0 rhif 38 yn mynd heibio Deganwy gyda thrên i Landudno yn Awst 1913.

The North Staffordshire Railway ran excursion trains from the Potteries to the North Wales coast during the summer. NSR 4–4–0 No. 38 is seen passing Deganwy with a train for Llandudno in August 1913.

Golygfa o Gyffordd Llandudno, a chychwyniad lein Llandudno, o'r bont droed. Adeiladwyd y bocs signalau gan y Rheilffyrdd Prydeinig yn y 1950au cynnar a gofalai am y fan croesi yn y fan yma. Gan fod y groesfannau yn achosi rhwystr i'r drafnidiaeth fe'i newidwyd am bont a gariai ffordd dros y rheilffordd. Bydd y bont yma yn ddianghenraid yn fuan pan orffennir y twnel o dan afon Gonwy i gario y drafforddd A55 sydd i'w hagor yn 1991.

A view of Llandudno Junction, and the beginning of the Llandudno branch, from the footbridge. The signal box was built by British Railways in the early 1950s and controlled a level crossing at this point. This level crossing became a bottleneck and was replaced by a flyover into Conwy in the early 1970s. The flyover itself will become obsolete very soon when a tunnel under the Conwy estuary, to carry the A55 Expressway, opens in 1991.

Un o'r ychydig ddamweiniau i ddigwydd ar lein Cyffordd Llandudno i Flaenau Ffestiniog. Yn 1904 gyrrid peiriant 2–4–2 tank yr LNWR rhif 891 ar gyflymder o 60 milltir yr awr. Yr oedd hyn yn unol â'r cyflymder ar yr amserlen. Gadawodd y rheiliau a gwelwyd yn ddiweddarach nad oedd y trac yn addas ar gyfer y cyflymder hwn.

On of the few accidents to occur on the Llandudno Junction to Blaenau Festiniog branch. In 1904 LNWR 2–4–2 tank No. 891 was being driven at the timetabled speed of 60 m.p.h. when the train jumped the rails. It was subsequently discovered that the track was not suitable for such speeds.

Cyn LNWR 'Cauliflower' 0–6–0 ar ddyletswyddau shyntio ym Metws-y-Coed yn ystod haf 1941. Fe'i sillefid yn Bettws-y-Coed yr amser hwnnw. Codwyd y seidins a welir yma yn ystod y 1970au.

Ex LNWR 'Cauliflower' 0–6–0 on shunting duties at Betws-y-Coed, then spelt Bettws-y-Coed, during the summer of 1941. The sidings shown here were lifted in the 1970s.

Lein Ffestiniog ger Betws-y-Coed ar y 3 o Fehefin 1932. Y peiriant yn y llun yw LNWR 0–6–0 rhif 8392.

A view of the Festiniog branch near Betws-y-Coed on 3 June 1932. The loco in this view is ex LNWR 0–6–0 No. 8392.

Pont Rufeinig ar y 3 o Fehefin 1932 fel mae'r trên yn nesáu at y twnel 2½milltir o hyd a ddwg y lein i Flaenau Ffestiniog.

Roman Bridge on 3 June 1932, as the train nears the 2½-mile long tunnel that takes the line through to Blaenau Festiniog.

Gorsaf Pont-y-Pant yn 1941. Y mae'r 'observation car' sydd ar du ôl y trên yn awr o dan gadwraeth.
Pont-y-Pant station in 1941. The observation car at the back of the train is now preserved.

Gorsaf Dolwyddelan ar gangen Ffestiniog. Tynnwyd ymaith y cylch osgoi yn y blynyddoedd diweddar.
Dolwyddelan station on the Ffestiniog branch. The passing loop has been removed in recent years.

Gorsaf Blaenau Ffestiniog ar y 3 o Fehefin 1932 gyda chyn LNWR Webb 'Cauliflower' 0–6–0 ar drên i Gyffordd Llandudno.
Blaenau Ffestiniog station on 3 June 1932, with ex LNWR Webb 'Cauliflower' 0–6–0 on a train from Llandudno Junction.

Gorsaf Blaenau Ffestiniog, terfyn cangen y LNWR o Gyffordd Llandudno. Agorwyd yr orsaf yn 1879 fel canlyniad i ymdrechion y Cwmni hwn i dorri i mewn i fasnach lechi cwmniau llongau ym Mhorthmadog.
Blaenau Ffestiniog station of the LNWR, terminus of the branch from Llandudno Junction. The station opened in 1879 as a result of the efforts of the company to tap slate traffic from the shipping companies at Porthmadog.

Gorsaf Bethesda tua 1895; dyma derfyn cangen Bethesda o'r lein. Adeiladwyd y lein yma i gymryd mantais o botensial y drafnidiaeth lechi a ddeuai o'r dref. Ni fu'r lein yn llwyddiant mawr, ac fe'i chauwyd i deithwyr yn 1951 ac i nwyddau yn 1963.
Bethesda station *c.* 1895, the terminus of the Bethesda branch. This line was built to take advantage of the potential slate traffic emanating from the town. The line was not a great success, closing to passengers in 1951 and to freight in 1963.

Cyflogid staff ar orsafoedd dibwys i raddau y LNWR ond nid felly heddiw. Dyma ddarlun o staff Bethesda yn 1912.
Even relatively unimportant stations of the LNWR had staff, unlike today. Here the staff at Bethesda pose for a photograph in 1912.

Gorsaf Tregarth hanner ffordd ar hyd cangen rheilffordd Bethesda, sydd yn y darlun a dynnwyd tua 1920. Y mae'r trên yn y darlun yn nodweddiadol o drenau yn y rhannau hyn. Fe'u tynnid gan beiriannau tanc bychain.

Midway point on the Bethesda branch was Tregarth station, seen in this distant view at around 1920. The train is typical of the branch trains in the area hauled by a little tank engine.

Golwg agos o orsaf Tregarth, pren ei gwneuthuriad, mewn safle hynod o ddeniadol.
A close up view of Tregarth station. This station was of all-wood construction and in a very attractive location.

Y fynedfa i orsaf Caernarfon yn ystod deng mlynedd gyntaf yr 20fed ganrif. Caernarfon oedd prif dref yr hen Sir Gaernarfon, ac er 1974, prif dref Gwynedd. Cauwyd yr orsaf pan gauwyd y lein o Fangor i Gaernarfon yn 1972. Mae'n debyg mai dyma un o gamgymeriadau mwy a wnaeth y Rheilffyrdd Prydeinig sef cau'r lein rhwng Bangor ac Afon-Wen. Mae'r ffyrdd yn y rhannau yma yn wael a'r drafnidiaeth gyhoeddus yn araf, na ellir dibynnu arno ac yn wasgedig. Gedy hyn Gaernarfon wedi'i wahanu oddi wrth rannau eraill o Ogledd Cymru.

Caernarfon station in the first decade of the twentieth century. Caernarfon is the county town of Caernarfonshire and, since 1974, of Gwynedd. The station closed when the line from Bangor to Caernarfon shut in 1972. It was probably one of BR's bigger mistakes to close the line between Bangor and Afon-Wen as roads in the area are poor, and public transport is slow, unreliable and cramped; all of which leaves Caernarfon isolated from the rest of North Wales.

Staff gorsaf Caernarfon yn 1916. Cyflogai'r prif orsafoedd ar rwydwaith y rheilffyrdd nifer fawr o weithwyr ac yr oeddynt yn gyflogwyr pwysig yn y rhannau hynny lle'r oedd gwaith yn brin.
Caernarfon station staff in 1916. Main stations on the railway network employed numerous people and were an important employer in areas where jobs were few.

Staff gorsaf Caernarfon yn fuan ar ôl y gwladoli. O'i gymharu a'r darlun blaenorol dengys fel y cynyddai'r rhif dros y blynyddoedd.
Station staff at Caernarfon shortly after nationalization. Compared to the previous picture, it shows how numbers increased over the years.

Gwelodd gorsaf Caernarfon gryn brysurdeb pan dorrodd y Rhyfel Byd Cyntaf gyda symudiadau milwyr mewn ac allan o'r gwersylloedd milwrol cyfagos. Gwelir yma filwyr ar barêd y tu allan i'r orsaf yn 1914.
Caernarfon station saw much activity at the outbreak of the First World War with many troop movements to and from barracks situated nearby. Soldiers are seen on parade outside the station in 1914.

Tri o geffylau a ddefnyddid i dynnu y troliau cludo parseli yn barod i ymddeol ym Mai 1931. Dyma hwy yn sefyll gyda'u gofalwyr y tu allan i Eglwys Crist, Caernarfon.
Three of the horses used on parcels carts from Caernarfon station are due to retire in May 1931 and are posed with their handlers in front of Christ Church.

Yr oedd i Gaernarfon ei sied peiriannau ei hun, i gyflenwi'r pŵer i dynnu'r trênau rhwng Bangor ac Afon-Wen. Bu felly hyd 1930 pan drosglwyddwyd y gwaith hwn i Fangor. Mae'r darlun yn dangos nifer y staff a gyflogid yno yn nyddiau'r LNWR. Y peiriant yn y darlun yw injan fwynau 0–8–0 a ddefnyddid mae'n debyg ar drenau cludo llechi.
Caernarfon had its own locoshed, supplying motive power for trains between Bangor and Afon-Wen, until 1930 and transfer to Bangor. This view shows the number of staff employed there in LNWR days. The loco is an 0–8–0 mineral engine, possibly for use on slate trains.

Golygfa o'r tu cefn o injan fwynau LNWR rhif 1271 yng Nghaernarfon.
A rear view of LNWR 0–8–0 mineral engine No. 1271 at Caernarfon.

Yn y 1930au dechreuodd yr LMS ar bolisi o enwi rhai o'u peiriannau o'r dosbarth 'Patriot', ar ôl trefi yng Ngogledd Cymru. Dyma'r rhif 5515 yn derbyn yr enw Caernarvon *mewn seremoni enwi yn yr orsaf o'r un enw.*

During the 1930s the LMS embarked on a policy for naming some of its 'Patriot' class locos after towns in North Wales. No. 5515 was named *Caernarvon* during this period, with the naming ceremony taking place at the station of the same name.

Golygfa yn 1935 o gyn LNWR 0–6–2 tanc glo ar drên leol yng ngorsaf Llanberis, terfyn eithaf cangen Llanberis o'r lein.
A 1935 view of ex LNWR 0–6–2 coal tank on a local train at Llanberis station, terminus of the Llanberis branch.

Locosied wag yn Llanberis 1935. Nid oedd defnydd i'r sied erbyn hyn gan fod yr holl injans yn dod o sied Fangor.
An empty Llanberis locoshed in 1935. By this time, the shed was out of use with motive power being supplied by Bangor shed.

Gorsaf y Groeslon ar y lein Caernarfon i Afon-Wen, ym mlynyddoedd olaf y 19fed ganrif gyda thrên lleol nodweddiadol yn nesáu. Pan gauwyd y lein yn 1964, defnyddid bysiau i gludo'r teithwyr.

Groeslon station, on the Caernarfon to Afon-Wen section, in the latter years of the nineteenth century. A typical local train is approaching. Buses have now taken over from these trains since the line closed in 1964.

Gorsaf Pen-y-Groes ar lein Caernarfon i Afon-Wen ar droad y ganrif. Cauwyd yr orsaf yn 1964. Mae'r trac yn awr yn lwybr beicio.
Pen-y-Groes station on the Caernarfon to Afon-Wen line at the turn of the century. The station closed in 1964 and the line is now a cycle path.

Bws ar gledrau yn cael ei yrru gyda phetrol, yng ngorsaf Pen-y-Groes, cerbyd go anghyffredin yn nechrau'r ugeinfed ganrif. Arferid y modd yma o deithio ar y lein fer o Ben-y-Groes i Dalysarn.
Unusual motive power in the early years of the twentieth century was this petrol-driven railbus, at Pen-y-Groes station. It was used on the short branch to Nantlle.

Staff gorsaf Pen-y-Groes yn nyddiau'r LNWR. Y mae'r trên a welir yn y llun yn drên dau gerbyd ar gyter cangen Nantlle, yn disgwyl amser cychwyn o blatfform cilfach Pen-y-Groes.

Station staff at Pen-y-Groes in LNWR days. The train in this view is a typical two-coach branch train for the Nantlle branch, awaiting departure in the Pen-y-Groes bay platform.

Gorsaf Nantlle ar y gangen fer o Ben-y-Groes. Yn y dechreuad lein lled $3\frac{1}{2}$ troedfedd ydoedd a newidwyd i'r lled safonol yn 1872. Milltir a hanner oedd ei hyd, sef y gangen fyrraf yng Ngwynedd. Fe'i cauwyd i deithwyr yn 1932 ond bu'n dal i gludo nwyddau hyd 1963.

Nantlle station on the short branch from Pen-y-Groes. Originally the line was 3 ft 6 in gauge, but was converted to standard gauge in 1872. The total length of the branch was $1\frac{1}{2}$ miles, the shortest passenger line in Gwynedd. It closed to passengers in 1932, but was still used for freight until 1963.

Bu eira trwm yn broblem ym mynydd-dir Gogledd Cymru gan effeithio ar y gwasanaethau teithio. Nid oedd Nantlle yn wahanol i unrhyw fan arall, fel y dengys y darlun o drên lleol wedi ei ddal yn y lluwchfeydd ar ddechrau'r ganrif.

Heavy snowfall has always been a problem in the mountainous areas of North Wales, affecting train services. Nantlle was no exception as can be seen in this picture of a local train caught in snowdrifts at the turn of the century.

Gorsaf Bryncir yn y 1930au, gyda thrên am Afon-Wen i'w gweld yn y llun.
Bryncir station during the 1930s, with a train for Afon-Wen also in view.

Afon-Wen, man cyfarfod y LNWR a'r Cambrian. Dyma fel yr oedd yn 1930au. Fe'i cauwyd yn 1964 ac nid oes dim o'i hôl mwyach.
The meeting point of the LNWR and Cambrian Railways was at Afon-Wen. Here is the station as it appeared in the 1930s. It was closed in 1964 and no trace of it now remains.

Llafurwyr yn gweithio ar rwydwaith y rheilffyrdd ym Môn. 'Navvies' oedd yr enw mwyaf cyffredin arnynt.
Railway navvies working on the railway network in Anglesey.

Gorsaf Llangefni ar gangen Amlwch, yr orsaf bwysicaf gan ei bod yn gwasanaethu prif dref Môn. Caeodd y lein hon i deithwyr yn 1964, ond deil yn agored i gludo nwyddau at wasanaeth atomfa'r Wylfa a United Octel.

Llangefni station on the Amlwch branch, the most important station as it served the county town of Anglesey. This branch closed to passengers in 1964, but is still open for freight to and from United Octel and Wylfa nuclear power station.

LONDON AND NORTH WESTERN RAILWAY.

EISTEDDFOD & MUSICAL FESTIVAL
AT LLANGEFNI,
MONDAY, APRIL 16, 1900.

ON THE ABOVE DATE
CHEAP TICKETS
WILL BE ISSUED TO
LLANGEFNI
AS UNDER:—

FROM	Times of Starting.	Fares for the Double Journey Third Class.	
	a.m.	s.	d.
Blaenau Festiniog	[illegible]	3	9
Dolwyddelen	7 10		
Bettws-y-Coed	[illegible]		
Llanrwst	7 40	3	3
Talycafn	[illegible]		
Llandudno Junction	[illegible]	2	9

Passengers return at 9.30 p.m. on day of issue only.

Children under 3 free; over 3 and under 12 years of age Half-Fares.
No Luggage allowed. Tickets not transferable.

[illegible]

All information regarding Excursion Trains on the L. & N. W. Railway may be obtained on application to Mr. F. H. DENT, District Superintendent, Chester.

Euston Station, London, April, 1900.
FRED. HARRISON, General Manager.

[illegible]

Y gangen rhwng Pentre Berw a Phentraeth oedd yr olaf i'w hadeiladu gan y LNWR yng Ngogledd Cymru. Yma gwelir gweithwyr yn brysur gyda'r priddo a gosod cledrau.
The branch between Holland Arms and Pentraeth, on Anglesey, was the last to be built by the LNWR in North Wales. Here construction workers are busy dealing with earthworks and tracklaying.

Ni fu rhyw lawer o lwyddiant i'r lein i Bentraeth, a'r Traeth Coch, 1908, gyda'r lein yn gorffen mewn cae ymhell o bobman. Yn y darlun gwelir adeiladu bont i gario ffordd drosti.
Built in 1908, the line to Pentraeth, and eventually to Red Wharf Bay, was never a great success, ending in a field in the middle of nowhere. A road bridge is under construction in this view.

Gosod cledrau yn mynd rhagddo fel y nesa'r lein at Bentraeth.
Tracklaying continues apace as the branch heads towards Pentraeth.

Rhai o'r trigolion lled yn ymweld â gorsaf Traeth Coch, ychydig cyn ei hagor.
Some local visitors at Red Wharf Bay station shortly before opening.

Dyma rai o'r bobl leol yn teithio ar y lein newydd cyn ei hagor i'r cyhoedd. Benthyciwyd wageni a pheiriant un o'r contractwyr er gallu gwneud hynny.
Locals manage to get a ride on the new branch, thanks to the use of a contractor's locomotive and wagons, before the line is opened to the general public.

Pentre Berw a'r trên gyntaf i Bentraeth ar y 1 Orffennaf 1908.
Holland Arms, and the first train to Pentraeth on 1 July 1908.

Gorsaf Pentraeth ar ddydd ei hagor, Gorffennaf 1908. Mae'n edrych fel pebai y rhelyw o'r gymdogaeth wedi dod i'r amgylchiad ond ni chafwyd digon o deithwyr, a rhaid oedd atal y gwasanaeth i deithwyr yn 1930. Ni fu parhad iddi mewn unrhyw fodd ar ôl 1950.
Pentraeth station on the opening day of services. It seems that most of the population has turned out for the event. Passenger levels were never maintained and the line closed to this traffic in 1930 and only survived at all until 1950.

Gorsaf Rhyd-y-Saint ychydig ar ôl ei hagor. Hon oedd yr ail orsaf ar y lein o Bentre Berw.

Rhyd-y-Saint station, shortly after opening in 1908. This was the second station on the line to Holland Arms.

RHAN TRI • SECTION THREE

Leiniau Bach

Narrow Gauge

Golygfa gynnar o Reilffordd Ffestiniog, ym Mlaenau Ffestiniog, yn ymyl y gyfnewidfa gyda chledrau lled safonol y GWR.
An early view of the Festiniog Railway at Blaenau Festiniog (now spelt Ffestiniog) near the interchange with the standard gauge GWR.

Gorsafoedd Blaenau Ffestiniog. Ar y chwith gorsaf Rheilffordd Ffestiniog sef y lein fach, ac ar y dde terfyn y LNWR o'r lein i Gyffordd Llandudno. Yn y cefndir y chwareli enfawr sy'n edrych dros y dre.

Stations at Blaenau Ffestiniog. On the left is the narrow gauge station of the Festiniog Railway, with the LNWR terminus of the line to Llandudno Junction on the right. In the background are the massive slate quarries which overlook the town.

Seidins cyfnewid y LNWR a Rheilffordd Ffestiniog ym Mlaenau Ffestiniog yn y 1950au cynnar.

Exchange sidings of the LNWR and Ffestiniog Railway at Blaenau Festiniog in the early 1950s.

Cerbydau cynnar teithwyr Rheilffordd Ffestiniog. Agorwyd y lein lled 1' 11½" yn wreiddiol yn 1832. Ffordd tram a cheffyl i'w dynnu ydoedd yr amser hwnnw, ond fe'i diwygwyd ar gyfer stêm yn 1860.
Early passenger coaches of the Festiniog Railway. This 1 ft 11½ in gauge railway was originally opened in 1832 as a horse-drawn tramway, but converted to steam power in 1860.

Twnel y Moelwyn, Rheilffordd Ffestiniog. Boddwyd y rhan yma o'r lein i greu cronfa ddŵr newydd a bu rhaid i gadwraethwyr dorri tir newydd pan yn ailadeiladu'r lein.
Moelwyn Tunnel, Festiniog Railway. This section of the line was flooded to create a new reservoir, forcing the later preservationists to deviate the line.

Pwynt hanner ffordd Rheilffordd Ffestiniog yw gorsaf Tan-y-Bwlch, a welir yma gyda pheiriant deuben Fairlie yn tynnu trên teithwyr. Sylwer hefyd ar y signal disgynnol.
Midway point of the Festiniog Railway is Tan-y-Bwlch station, seen here with double-ended Fairlie loco on a passenger train and lower quadrant semaphore signal.

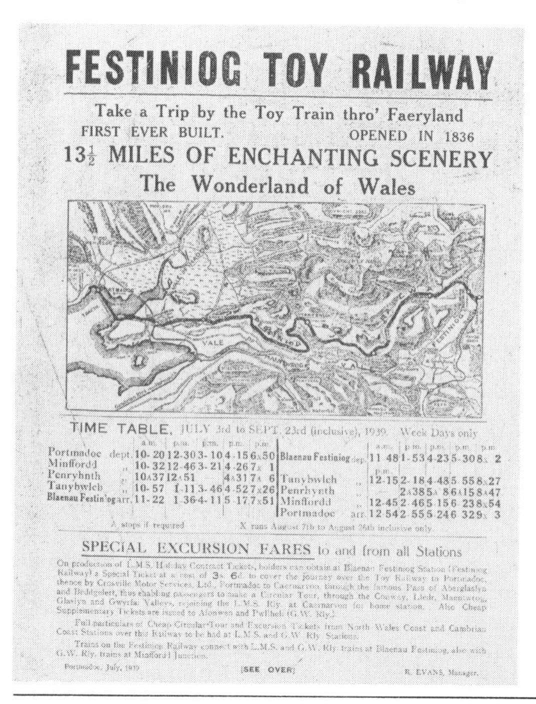

FESTINIOG TOY RAILWAY

Take a Trip by the Toy Train thro' Faeryland

FIRST EVER BUILT. OPENED IN 1836

13½ MILES OF ENCHANTING SCENERY

The Wonderland of Wales

TIME TABLE, JULY 3rd to SEPT. 23rd (inclusive), 1939. Week Days only

	a.m.	p.m.	p.m.	p.m.	p.m.
Portmadoc dept.	10-20	12-30	3-10	4-15	6x50
Minffordd ,,	10-32	12-46	3-21	4-26	7x 1
Penryhnth ,,	10A37	12A51	—	4A31	7A 6
Tanybwlch ,,	10-57	1-11	3-46	4-52	7x26
Blaenau Festin'og arr.	11-22	1-36	4-11	5-17	7x51

	a.m.	p.m.	p.m.	p.m.	p.m.
Blaenau Festiniog dep.	11-48	1-53	4-23	5-30	8x 2
	p.m.				
Tanybwlch ,,	12-15	2-18	4-48	5-55	8x27
Penrhynth ,,	—	2A38	5A 8	6A15	8A47
Minffordd ,,	12-45	2-46	5-15	6-23	8x54
Portmadoc arr.	12-54	2-55	5-24	6-32	9x 3

A stops if required X runs August 7th to August 26th inclusive only.

SPECIAL EXCURSION FARES to and from all Stations

On production of L.M.S. Holiday Contract Tickets, holders can obtain at Blaenau Festiniog Station (Festiniog Railway) a Special Ticket at a cost of 3s. 6d. to cover the journey over the Toy Railway to Portmadoc, thence by Crosville Motor Services, Ltd., Portmadoc to Caernarvon, through the famous Pass of Aberglaslyn and Beddgelert, thus enabling passengers to make a Circular Tour, through the Conway, Lledr, Maentwrog, Glaslyn and Gwyrfai Valleys, rejoining the L.M.S. Rly. at Caernarvon for home station. Also Cheap Supplementary Tickets are issued to Afonwen and Pwllheli (G.W. Rly.)

Full particulars of Cheap Circular Tour and Excursion Tickets from North Wales Coast and Cambrian Coast Stations over this Railway to be had at L.M.S. and G.W. Rly. Stations.

Trains on the Festiniog Railway connect with L.M.S. and G.W. Rly. trains at Blaenau Festiniog, also with G.W. Rly. trains at Minffordd Junction.

Portmadoc, July, 1939 [SEE OVER] R. EVANS, Manager.

Cymysgfa o wageni llechi a cherbydau teithwyr yn cael eu tynnu ar hyd lein Ffestiniog.
A mixed train of passenger coaches and slate wagons is hauled along the Festiniog Railway system.

Gorsaf Minffordd ar Reilffordd Ffestiniog tua 1900. Roedd gan Reilffyrdd y Cambrian eu seidins cyfnewid yma i'w galluogi i dorri i mewn i'r fasnach lechi broffidiol, ar draul eu cystadleuwyr.
Minffordd station of the Festiniog Railway *c.* 1900. The Cambrian Railways had exchange sidings here to tap the profitable slate traffic at the expense of its rivals.

Mae Rheilffordd Ffestiniog yn rhedeg dros 'y cob', morglawdd a godwyd gan W.A. Maddocks tua 1810i sychu tiroedd y Traeth Mawr, ger Porthmadog.
The Festiniog Railway runs across the embankment at Porthmadog, built around 1810 by W.A. Maddocks to reclaim the lands of Traeth Mawr.

Gorsaf Porthmadog gyda rhesi o wageni llechi Cwmni Rheilffordd Ffestiniog.
Porthmadog station, then known as Portmadoc, with rows of slate wagons of the Festiniog Railway.

Pen y daith ym Mhorthmadog ar gyfer Rheilffordd Ucheldir Cymru, tua 1930. Fe gysylltid yma â Rheilffordd ffestiniog a oedd yn ei gwneud hi'n bosibl i gysylltu Blaenau Ffestiniog a Beddgelert.
Porthmadog terminus of the Welsh Highland Railway around 1930. At this time there was a physical connection with the Festiniog Railway, creating a connection between Blaenau Ffestiniog and Beddgelert.

Gorsaf Rheilffordd Ucheldir Cymru ym Mhorthmadog.
Porthmadog station of the Welsh Highland Railway.

Cyffordd Dinas lle cysylltodd Rheilffordd Ucheldir Cymru â'r LNWR.
Dinas Junction where the Welsh Highland Railway connected with the LNWR.

Llun injan Russell *Rheilffordd Ucheldir Cymru. Mae'r peiriant hwn yn dal i fodoli ac fe'i rhedir yn rheolaidd.*
A portrait of Welsh Highland Railway loco *Russell*. This engine still survives and is run regularly.

Gorsaf Nanmor ar Rheilffordd Ucheldir Cymru, wedi ei gosod mewn safle odidog a nodweddiadol ym mynydd-dir Gogledd Cymru. Golygfeydd fel hyn sy'n gwneud y leiniau bach a ailagorwyd a'u cadw mor ddeniadol i'r cyhoedd.

Nantmor station of the Welsh Highland Railway, set in typical North Wales mountain country. It is scenes like this that make many of the preserved narrow gauge railways so attractive to the public.

Trên Rheilffordd Ucheldir Cymru yn symud trwy garw Aberglaslyn ar ei ffordd i Feddgelert. Gobeithir y gall y cadwraethwyr modern ddwyn yr olygfa hon yn ôl cyn bo hir iawn.

A Welsh Highland Railway train runs through the rugged Aberglaslyn Pass on its way to Beddgelert. It is to be hoped that modern preservationists may be able to repeat this scene in the not too distant future.

Gorsaf Beddgelert ar Reilffordd Ucheldir Cymru. Gobeithir yr ail adferir y lein hyd yr orsaf hon yn y dyfodol.

Terminus of the Welsh Highland Railway at Beddgelert. The preserved railway hopes to restore services to this point in the future.

Trên Rheilffordd Ucheldir Cymru, yn aros yr amser i ymadael yng ngorsaf Beddgelert yn ystod Haf 1914.

A Welsh Highland Railway train awaits departure from Beddgelert station during the summer of 1914.

Gorsaf Abergynolwyn, pen y daith ar Reilffordd Tal-y-Llyn, a agorwyd yn 1863; dyma'r rheilffordd gyntaf i ddod dan gadwraeth yn 1950.
Abergynolwyn station, terminus of the Tal-y-Llyn Railway. Opened in 1863, it became the first railway to be preserved when it was taken over by enthusiasts in 1950.

Injan â thanc o siâp cyfrwy yn cymryd dŵr i'w bwylar ar Reilffordd Tal-y-Llyn.
A little saddle tank engine takes on water on the Tal-y-Llyn Railway.

Trên nodweddiadol o eiddo Rheilffordd yr Wyddfa. Yn ddiweddar mae'r rheilffordd yn defnyddio injans diesel i dynnu rhai o'r trenau.

A typical train of the Snowdon Mountain Railway. In recent times the railway has started to use diesel traction to run some of its trains.

Rheilffordd yr Wyddfa ychydig yn is na'r copa gyda thrên yn gwneud ei ffordd tua'r brig.
Snowdon Mountain Railway from just below the summit, with a train making its way to the top.

Gorsaf yr Wyddfa ar waelod y mynydd enwog hwnnw, yn nhymor yr Haf gogoneddus olaf cyn dechreu'r Rhyfel Byd Cyntaf. Dyma terfyn lein fach Gogledd cymru a redai o Gyfford Dinas, cyn cysylltu â Phorthmadog.
Snowdon station at the base of that famous mountain in that last glorious summer before the carnage of the First World War. This was the terminus of the North Wales Narrow Gauge Railway that ran from Dinas Junction, before the connection to Porthmadog was built.

Sied injans ac injans ym Methesda, ar derfyn Lein y Penrhyn a safle chwarel enfawr o'r un enw.
Locoshed and locos at Bethesda, the main terminus of the Penrhyn Railway and site of that company's huge slate quarry.

Rhes o beiriannau yn perthyn i Reilffordd y Penrhyn yn gorffwyso o'u llafur y tu allan i sied yr injans ym Methesda.
A row of locos belonging to the Penrhyn Railway rest from their labours outside the engine shed at Bethesda.

Golwg ar y trên llechi o eiddo Rheilffordd Penrhyn ar ei ffordd i Fethesda.
A view of a Penrhyn Railway slate train on its way to Bethesda.

Rheilffordd Padarn ger Penscoins ym Mhorthdinorwig (Y Felinheli). Sylwer ar y wageni mawr fflat yn cario wageni llechi rheilffordd gulach y chwarel.
Padarn Railway near to Penscoins at Port Dinorwic (Y Felinheli). Note the train of flat wagons carrying narrow gauge slate wagons from the quarry.

Gwelir yma adeiladu seidins cyfnewid a dociau ar gyfer Cwmni Chwareli Llechi Dinorwic, ym Mhorthdinorwig ym mlynyddoedd olaf y bedwaredd ganfir ar bymtheg.
Exchange sidings and docks for the Penrhyn slate quarrying company are under construction at Port Dinorwic during the latter years of the nineteenth century.

0–4–0 tanc cyfrwy Blanche *o eiddo Rheilffordd y Penrhyn yn tynnu trên lwythog o lechi ar system sylweddol y Cwmni hwn.*
Penrhyn Railway 0–4–0 saddle tank *Blanche* hauls a slate train along the company's substantial system.

Esiampl arall o bŵer symudol Rheilffordd y Penrhyn yw'r 0–4–0 saddle tank Winifred *a welir yma.*
Another example of Penrhyn Railway motive power is 0–4–0 saddle tank *Winifred*.

Golygfa gynnar o Reilffordd Fairbourne. Pan ei hagorwyd yn 1890 dramffordd ydoedd gyda cheffylau i dynnu'r llwythi. Fe'i adeiladwyd gan MacDougall, a oedd yn enwog am ei flawd, a rhedai'r lein gyda glannau aber Mawddach.

An early view of the Fairbourne Railway. When opened, in 1890, it was a horse-drawn tramway, built by a Mr MacDougall of flour fame, and ran along the Mawddach estuary.

Trên Bach Fairbourne fel y'i cofir orau, gyda fersiynau llai eu maint o brif beiriannau y Rheilffyrdd Mawr, yn tynnu cerbydau agored. Newidwyd y lled 15 modfedd am led $12\frac{1}{4}$ modfedd yn 1983.

The Fairbourne Miniature Railway as it is best remembered, with small versions of main line engines hauling open passenger wagons. The 15 in gauge line was converted to $12\frac{1}{4}$ in in 1983.

Rheilffordd Corris yn ei hanterth. Agorwyd y lein lled 2 droedfedd 3 modfedd yma i deithwyr yn 1883. Codwyd tua milltir o'r lein o'r newydd yn ddiweddar.
The Corris Railway in its heyday. This 2 ft 3 in gauge line opened to passengers in 1883. About a mile of track has recently been relaid.

Trên Rheilffordd Corris yn croesi'r Afon Ddyfi yn nechrau'r ugeinfed ganrif.
Corris Railway crossing the River Dovey in the early years of the twentieth century.

Injan â bwyler fertigol 0–4–0 yn chwarel Penyrorsedd gyda gŵyr y peiriannau a llywodraethwyr y chwarel. Fe'i hadeiladwyd gan de Winton yng Nghaernarfon.
Vertical-boilered 0–4–0 loco at Penyrorsedd slate quarry with locomen and quarry managers. The loco was built by de Winton at Caernarfon.

Injan â bwyler fertigol a fu'n perthyn i Gwmni Penmaenmawr a'r Ithfaen Cymraeg. Dyma'r peiriant ar ben mynydd Penmaenmawr. Adeiledid y peiriannau hyn gan Gwmni de Winton, Caernarfon.
Vertical-boilered loco of the Penmaenmawr and Welsh Granite Company at the top of Penmaenmawr mountain. These engines were built by the de Winton Company of Caernarfon.

RHAN PEDWAR • SECTION FOUR

Sir Feirionnydd a'r Arfordir Cambriaidd

Merionethshire and the Cambrian Coast

Adeiladwyd Rheilffordd Ffestiniog i'r pwrpas o gludo llechi o Chwareli Blaenau. Ffestiniog i'w cludo dros y môr. Nes ymlaen fe gludid llechi i Finffordd, lle gellid eu trawslwythoi wageni lled safonol. Yma gweler y seidins cyfnewid yn dangos wageni llechi y lein bach a wageni lled safonol y GWR.

The Festiniog Railway was built to carry slate from the quarries of Blaenau Ffestiniog to Porthmadog for shipment by sea and later slates were also carried to Minffordd for loading into standard gauge wagons. Here are the exchange sidings showing the narrow gauge slate wagons and the standard gauge wagons of the GWR.

Gorsaf y GWR ym Mlaenau Ffestiniog, terfyn y lein o'r Bala. Adeiladodd y GWR y rheilffordd hon mewn ymdrech i gystadlu â'r LNWR am y drafnidiaeth lechi. Fe ddaethant i'r frwydr bedair blynedd yn hwyrach na'r LNWR yn 1883, ac i ryw raddau fe'i fethodd â manteisio ar y fasnach. Er bod y GWR a'r LNWR yn agos i'w gilydd nid unwyd y ddwy orsaf nes cau cangen y Bala, a chadw rhan o'r lein honno i wasanaethu Atomfa Niwcliar Trawsfynydd. Cauwyd gorsaf y LNWR yn ddiweddarach a chadw gorsaf y GWR i wasanaethu y lein i Gyffordd Llandudno.

Blaenau Festiniog GWR station, terminus of the line from Bala. The GWR built the line in an effort to compete with the LNWR for slate traffic. They arrived four years later than the LNWR, in 1883, and lost out, to some extent, on this business. Although on the same alignment as the LNWR, the stations were never connected until after the closure of the Bala branch when some of it was retained to serve Trawsfynydd nuclear power station. The LNWR station eventually closed in favour of the old GWR one which now serves the line to Llandudno Junction.

Dyma draphont lled 2 droedfedd Rheilffordd Ffestiniog a'r Blaenau, yn cysylltu Llan Ffestiniog gyda Rheilffordd Ffestiniog. Fe newidwyd yn ddiweddarach i fod yn lein lled safonol gan y GWR.
The viaduct of the 2 ft gauge Festiniog and Blaenau Railway, linking Llan Festiniog with the Festiniog Railway. It was later converted to standard gauge by the GWR.

Golygfa gynnar o Flaenau Ffestiniog gyda changen y GWR yn y cefndir.
An early view of Blaenau Festiniog with the GWR Festiniog branch in the background.

Nid chwareli a thwristiaeth oedd unig ddiwydiannau Gwynedd fel y gwelir oddi wrth y llun yma a dynnwyd yn 1899: trên yn cludo Wisgi Cymreig ger y Frongoch ar y lein rhwng y Bala a Blaenau Ffestiniog. Cynyrchid y wisgi gan y Cwmni Distyllu Cymreig a feddai ar adeiladau yn agos i'r fan yma.

Quarrying and tourism were not the only industries in Gwynedd, as can be seen in this 1899 photograph of a Welsh Whisky train at Frongoch on the Bala to Blaenau Ffestiniog line. The whisky was produced by the Welsh Distillery Company who had premises adjoining the railway close to this point.

GREAT WESTERN LINE (VIA DOLGELLEY).

	WEEK DAYS.														SUNDAYS.	
	a.m	a.m.	a.m		a.m.	a.m.	a.m	p.m.		a.m.	p.m.	p.m.	p.m.	p.m		
London (Paddington) dep	12A15	...	...	July 21st to September 16th.	9 20	...	11 5	...	...	...	...	2 35	...	...	...	...
Reading ... ... ,,	1 16	...	...		9 40	...	10 43	...	...	11 20	...	1 30	...	...	...	...
Oxford ... ... ,,	2A 2	...	...		10 38	...	11 20	...	...	1 0	...	2 30	...	...	...	...
Leamington .. ... ,,	3A12	...	7 25		11 29	...	12 10	...	...	1 53	...	3 33	...	...	...	...
Birmingham (Snow Hill)	3A53	6 0	8 30		12 5	...	1 10	1 15	...	2 28	...	4 40	...	...	...	...
Wolverhampton (Low Level)	4A22	6 43	9 0		12 29	...	12B 5	1 37	...	2 57	...	5 5	...	...	...	...
Shrewsbury ... ... ,	6 30	8 0	10 5		1 13	...	2 11	2 28	...	3 50	...	5 52	...	...	...	..
Manchester (E'ch'ge) dep	...	7 35	8 0		12 5	...	1 5	...	...	2 40	...	4 55	...	...	...	...
Warrington ... ... ,,	...	8 17	9 5		12 37	...	1 40	...	...	3 20	...	4 40	...	...	...	...
Liverpool Landing Stage	6 0	8 0	9 10		12 20	...	1 20	...	...	3 20	...	5 10	...	...	..	...
Birkenhead (Woodside) ,,	6 15	8 15	9 30		12 35	...	1 35	...	...	3 35	...	5 25	...	...	...	...
Chester ... ... ,,	6 45	9 5	10 5		1 15	...	2 15	...	...	4 20	...	6 5	...	...	...	...
Barmouth ... ... arr	10 10	12 12	1 42		3 53	...	5 8	5 48	...	7 45	...	9 40	...	...	...	...
Harlech ... ... ,,	10c54	12 50	2A40		4 28	...	5 40	6 20	...	8 19	...	Sats. only	...	...	...	...
Portmadoc ... ... ,,	11c20	1 11	3 29		4 50	...	6 0	6 41	...	8 40	...		...	...	...	...
Criccieth ... ... ,,	11c52	1 30	3 45		5 5	...	6 20	7 0	...	9 0	...		...	...	...	...
Pwllheli	12a20	2 0	4 20		5 30	...	6 45	7 25	...	9 35	...		...	...	...	...
	a.m.	a.m.			a.m.		a.m.			a.m.	p.m.		p.m.	p.m.	a.m.	...
Pwllheli ... ... dep	...	6 10	...		8 5	July 21 to Sept, 18, and on Sept. 23.	10 20	...	...	9 50	...	...	1 35	5K 5	9 0	...
Criccieth ... ... ,,	...	6 36	...		8 30		10 48	...	...	10 18	...	...	2 0	5K35	9 20	...
Portmadoc ... ... ,,	...	6 48			8 44		11 2	...	...	10 35	...	...	2 20	6K 0	9 33	...
Harlech ... ... ,,	...	7 8	...		9 6		11x20	...	...	10 57	...	...	2 43	6K20	9 53	...
Barmouth ... ... ,,	...	7 50	...		10 10		11 55	...	...	12 40	2 40	...	4 25	7 0	10 30	..
Chester ... ... arr	...	10 35	...		1 5		3 20	...	...	4 25	6 0	...	8 30	10 23	9 55	p.m.
Birkenhead (Woodside) ,,	...	11 6	...		1 57		3 55	...	...	5 2	6 45	...	9 15	10 42	10 53	
Liverpool Landing Stage	...	11 20	...		2 10		4 10	...	...	5 20	7 0	...	9 30	11 0	11 10	
Warrington ... ... ,,	...	11 27	...		1N56		4 24	...	...	5 50	7 22	...	9 20			...
Manchester (Exchange)	...	1 0	...		2N30		5 12	...	...	6 27	8 15	...	10 15	...	...	...
Shrewsbury ... ... arr	...	10 54	...		1 27		2 45	...	...	4 20	6 26	...	9 10	...	...	...
Wolverhampton (Low Level)	...	11 38	...		2 13		3 38	...	...	5 15	7 18	...	11s38	...	...	...
Birmingham (Snow Hill)	...	12 2	...		2 38		4 2	...	..	5 40	7 43	...	11‡ 5	...	...	...
Leamington ... ... ,	...	12 33	...		3 13		4 40	...	...	6 11	8 16	...	12‡15	...	...	...
Oxford ... ... ,,	...	1 44	...		4 15		5 44	...	...	7 25	9 16	...		...	...	..
Reading ... ... ,,	...	2*21	...		5 0		6 23	...	...	8 4	10 0	...	...	...	...	...
London (Paddington) ,,	...	2L 7	...		4 50		7 15	...	...	7D50	10 5	...	...	...	...	...

A—Mondays excepted.

a—July 17th to September 16th only; other dates arrives Harlech 3 8 p.m.

B—July 21st to August 26th leaves 12 40.

C—July 17th to September 16th.

D—Dining Car on this Train to London.

K—From July 17th to September 16th only, other dates leave Pwllheli 4 0, Criccieth 4 30, Portmadoc 4 50, Harlech 5 11 p.m.

L—Luncheon Car on this Train to London.

N—From July 10th to 20th, and after September 16th arrives Warrington 2 28, and Manchester 3 8 p.m.

S—Saturdays only; Third Class Passengers arrive Wolverhampton 10 35 p.m. on Mondays July 10th to Sept. 11th.

X—Stops to pick up for other Companies' Lines.

*—Slip Carriage.

‡—Mondays July 10th to September 11th only.

Gorsaf y Bontnewydd, ar lein y GWR o'r Bala i'r Bermo, a'r staff, tua diwedd y ganrif ddiwethaf.
Bontnewydd station and staff, on the Bala to Barmouth line of the GWR, at the end of the nineteenth century.

Golygfa o orsaf Dolgellau ym Mehefin 1937. Sillefid yr enw yn 'Dogelly' yr amser hynny. Dyma'r fan y cwrddai lein y Cambrian a'r GWR. Cauwyd yr orsaf yn 1965. Heddiw mae gwely'r hen reilffordd yn rhan o ffordd osgoi tref Dolgellau.

A June 1937 view of Dolgellau station, then spelt Dolgelly. It was here that the Cambrian Railways met the GWR. The station closed in 1965 and the old trackbed is now a bypass avoiding the town of Dolgellau.

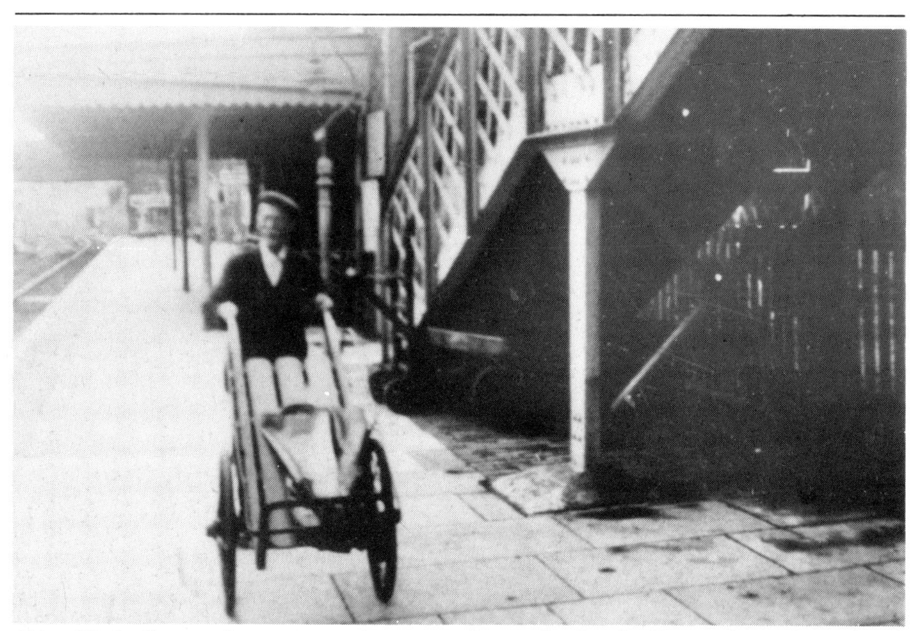

Gorsaf Dolgellau, a phorter yn gwthio ei gert llaw ar hyd y platfform a than y bont droed, tua 1900.

A porter wheels his handcart along the platform and under the footbridge of Dolgelly station c. 1900.

LONDON AND NORTH WESTERN LINE (Via Whitchurch).

DOWN.		WEEK DAYS.								SUNDAYS.		
		p m	a m	a m	a m	a m	p m	p m	p m	p m		p m
Leeds (New Stat., L. & N.W.)	dep.	1040	...	5 55	9 32	1040	2 25	...	5 25	10 40	Saturday night.	10 40
Bradford	,,	9 50	...	6 0	9 23	1012	2 15	...	5 0	9 50		9 5
Halifax	,,	1028	...	6 15	8 43	1036	2 2	...	4 47	10 28		9 33
Huddersfield	,,	1117	...	6 52	10 6	1120	2 55	...	5 57	11 17		11 17
Oldham (Clegg Street)	,,	1027	...	7 54	9K20	1148	2 24	3 51	6 45	10 27		...
Sheffield (Victoria)	,,	9 48	...	5 50	9 5	9 54	2 2	...	5 34	9 48		9 13
Liverpool (Lime Street)	,,	1155	2 35	8 15	1030	1150	3 25	4J30	7 10	11 55		11 0
Manchester (London Road)	,,	12 5	...	8 20	1040	1215	3 30	4J35	7 10	12 5		11 55
Stockport	,,	1225	...	8 35	1055	1227	3 40	4 35	7 22	12 25		12 18
Crewe	,,	1 40	7 38	9 30	1149	1 15	4 40	5 45	8 15	1 40		1 40
Chester	,,	11 2	6M45	8 40	1023	1227	4 25	5 30	7 15	11 2		11 2
Shrewsbury	,,	10 5	6 50	8 55	1125	1238	4 30	5 40	7 40	10 5		10 5
Whitchurch	arr	2 13	8 14	9 50	1212	1 40	5 6	6 20	8 35	2 13		2 13
Whitchurch	dep.	2 25	8 25	10 0	1225	1 45	5 25	6 40	8 45	2 25	...	2 25
Wrexham (Central)	arr	9 30	9 30	11 0	...	3 0	...	7 45	9D45	..	...	9 30
Oswestry	,,	3 15	9 10	10 43	1255	2 19	6 7	7 28	9 30	3 15	...	3 15
Welshpool	,,	3 55		11 23	...	2 50	6 52	8 22		6 54	...	3 55
Newtown	,,	4 36	...	11 57	...	3 19	7 38	9 1	...	7 29	...	4 36
Rhayader	,,	6 0	...	4 3	4 3	5 45	...		...	8 40	...	6 0
Brecon	,,	7 45	...	5 38	5 38	7 45	...	...	...	10 23	...	7 45
Machynlleth	,,	5 37	...	1 2	2 43	4 18	8 55	...	...	8 38	...	5 37
Aberystwyth	,,	6 20	...	2 15	3 35	5 0	9 40	...	...	9 35	...	6 20
Aberdovey	,,	6 15	...	1 53	3 22	4 55	9k30	...	...	9 18	...	6 15
Towyn	,,	6 23	...	2 1	3 30	5 3	9k38	...	...	9 26	...	6 23
Dolgelley	,,	8 16	...	3 10	4 50	6 30		...	...	10 55	...	8 16
Barmouth	,,	6 54	...	2 35	4 0	5 35	...	...	...	10 0	...	6 54
Harlech	,,	9 §6 1013	...	3 8	4 28	6 20	...	...	...	5 36	p.m.	9 §6 1013
Portmadoc	,,	9 §26 1034	...	3 29	4 50	6 41	...	...	...	6 0		9 §26 1034
Criccieth	,,	9 §40 1048	...	3 45	5 5	7 0	...	...	...	6 12		9 §40 1048
Pwllheli (for Nevin)	,,	10§17 1120	...	4 20	5 30	7 25	...	...	...	6 32		10§17 1120

July 15th to September 18th only. — Monday mornings.

UP.												Sundays.
		a m	a m	a m	a m	p m	a m	a m	a m	p m	p m	a. m.
Pwllheli (for Nevin)	dep	.	...	6 10	...	...	9 50	10F50	9 50	...	4 0	9 0
Criccieth	,,	...	...	6 36	...	...	1018	11F15	1018	...	4 30	9 20
Portmadoc	,,	.	...	6 48	...	...	1035	11F30	1035	...	4 50	9 33
Harlech	,,	...	...	7 8	...	...	1057	11F52	1057	...	5 11	9 53
Barmouth	,,	...	...	7 40	8 35	...	1145	1 30	1 30	...	5 55	5 55
Dolgelley	,,	...	...	7 15	8d 5	...	9 45	1 1[illegible]	1 15	...	5 20	4 40
Towyn	,,	...	...	8 12	9 10	...	1218	2 3	2 3	...	6 32	6 24
Aberdovey	,,	...	...	8 22	9 20	...	1251	2 14	2 14	...	6 43	6 35
Aberystwyth	,,	...	...	8 10	9 5	...	1210	1 55	2 30	...	6 25	6 25
Machynlleth	,,	.	...	9 0	10 2	...	1 2	2 45	3 20	...	7 17	7 10
Brecon	,,	...	...	7 25	...	...	1040	10 40	1 20		5 55	5 30
Rhayader	,,	...	...	9 2	...	...	1252	1 54	3 3	...	7 15	7 2
Newtown	,,	6 57	...	10 6	11 0	...	2 4	3 42	4 18	...	8 28	8 16
Welshpool	,,	7 35	...	1037	1130	...	2 32	4R10	4 55	...	9 0	8 48
Oswestry	,,	8 30	9G25	1123	12 [illegible]	1 45	3 2	4R36	5 30	7 20	9 40	9 40
Wrexham (Central)	,,	8 10	...	1115	...	1 20	...	3R55	...	6 35	8A45	...
Whitchurch	arr	9 20	10G15	12 8	1240	2 28	3 35	5R 9	6 17	8 5	1025	10 25
Whitchurch	dep.	9 46	10 29	1227	1250	2 36	3 45	5 2	6 35	8 34	10B39	10 40
Shrewsbury	arr.	10 3	11 25	...	1 38	5 2	5 2	5 45	7 20	9 5	2 47	2‖47
Chester	,,	1113	11 13	1 45	2 16	3 37	5C10	7 5	7 11	1032	12 34	12‖34
Crewe	,,	1016	10 52	1250	1 23	3 8	4 10	6 0	7 0	9 10	11B 3	11 5
Stockport	,,	11 9	12 9	1 42	2 14	4 36	5 15	6 56	7 50	1022	12 53	1 2
Manchester (London Rd)	,,	1122	12 24	1 55	2 27	4 50	5 33	7 10	8 5	1038	1 10	1 28
Liverpool (Lime Street)	,,	1125	12 12	2 35	2 35	4 5	5 25	7†20	8 20	1040	12 40	3 10
Sheffield (Victoria)	,,	1B16	1 42	3 24	4 2	6 4	8 36	...	1146	...	7 33	7 33
Oldham (Clegg Street)	,,	1 6	1 6	2 32	4 15	5 11	6 51	8 47	8 47	11e5	8P30	8 30
Huddersfield	,,	1239	2 11	...	3T 3	5 40	6 6	7 44	9 28	1 30	1 55	2 0
Halifax	,,	1 39	3 5	...	4T18	6 24	7 3	8 36	1014		5P56	5 56
Bradford	,,	2 21	2 51	...	4 25	6 57	6 57	9 10	1044	...	6P31	6 31
Leeds (New Station)	,,	1 12	2 43	...	3T38	6 17	6 48	8 17	1020	...	2 38	2 38

July 15th to September 18th. — July 15 to September 16. — p.m. — M'day morning

A—Thursdays and Saturday only. B—From July 17th to Sept 15th; Saturdays excepted, leaves Whitchurch 10 45, arrives Crewe 11 6 p.m. C—On Fridays & Saturdays only leaves Whitchurch 4 55, arrives Chester 5 10 p.m. D—Thursdays and Saturdays only. d—August only. e—Commences July 15th F—July 17th to Sep 16th. G—July 15th to Sep 18th. H—Runs from July 14th to Sep 9th inclusive. J—Leaves Manchester 4 25 p.m. and Liverpool 4 5 p.m. on Saturdays. K—Leaves Oldham 10 13 a.m. on Saturdays during July and August only. k—Fridays & Saturdays only. M—Mondays excepted. P—On Sundays arrive Oldham 10 4, Halifax 10 0, Bradford 10 31. R—From July 10 to 14 and after Sep 16 leaves Welshpool 3 20, Oswestry 4 5, Wrexham 3 55, arrives Whitchurch 4 52 p.m. T—Prior to July 15 arrives Huddersfield 3 40, Halifax 4 48, Leeds 4 20. †—Tuesdays & Thursdays arrive 7 25 p.m. ‖—Monday morning. §—From July 17th to Sept 16th.

Trychineb Abermiwl yn 1921. Achoswyd y ddamwain oherwydd camddealltwriaeth gyda'r tocynnau a roddid ar y lein sengl i ddangos i'r gyrrwr fod y lein yn glir. Ymddengys i docyn a berthynai i drên flaenorol gael ei roddi i yrrwr y trên yn lle'r tocyn perthnasol. Y canlyniad oedd i 17 o deithwyr gael eu lladd a 31 arall cael eu hanafu.
The Abermule disaster of 1921, caused by a misunderstanding over the single line token issued to show that the line was clear. It seems that a token used by a previous train was given to the driver, instead of one from the machine, the result being that two trains collided head on, killing seventeen passengers and injuring another thirty-one.

Pobl leol yn gwylio gweithwyr y rheilffordd yn clirio olion trychineb Abermiwl.
Locals watch as the wreckage of the Abermule disaster is cleared by railway workers.

Gorsaf Machynlleth ar y 23 o Orffenaf 1934. Yma y bu gwahanu rhwng David Davies, Llandinam a Thomas Savin o Groesoswallt y ddau beiriannydd a fu'n bennaf gyfrifol am rwydwaith y Cambrian. Y rheswm dros hyn ydoedd fod Savin am adeiladu lein o Aberystwyth i Bwllheli ond yn ôl Davies gwastraff drud fyddai hyn. Ond adeiladwyd y lein er i Savin fynd bron yn fethdalwr o achos hynny. Serch hynny, fe agorwyd Penrhyn Llŷn ac arfordir y Cambrian i dwristiaeth.

Machynlleth station on 23 July 1934. David Davies of Llandinam and Thomas Savin of Oswestry, the two railway engineers responsible for much of the Cambrian network, parted company at Machynlleth when Savin wished to build a line from Aberystwyth to Pwllheli, a project that Davies thought an expensive waste. In the event the line was built, making Savin a virtual bankrupt, but opening up the Lleyn Peninsula and Cambrian coast to tourism.

GWR Dosbarth 'Duke' gyda'i fframwaith dwbl 4–4–0 rhif 3271 ar 1 Fehefin 1934. Yr oedd y peiriannau hyn oherwydd eu pwysau ysgafn yn ddelfrydol ar gyfer Lein y Cambrian wedi iddi gael ei chymryd drosodd gan y GWR yn 1922. Newidwyd y peiriannau hyn am rai cryfach yn y 1930au a 40au, sef y 'Manor' 4–6–0.
GWR 'Duke' class double-framed 4–4–0 No. 3271 on 1 June 1934. The light weight of these engines made them ideal for the Cambrian Coast line after the GWR absorbed the Cambrian in 1922. These engines were replaced in the late 1930s and '40s by the more powerful 'Manor' class 4–6–0s.

Cwymp creigiau fu problem y Friog ar hyd yr amser a bu yn achos damwain yn 1883 pan fu i dir-lithriad daflu rhif 29 Pegasus *oddiar y cledrau a'i dymchwel i'r traeth islaw. Digwyddodd damwain gyffelyb yn 1933 ac adeiladwyd to dros y lein yn y rhan yma i'w llochesu rhag digwyddiadau o'r fath wedyn.*
Rockfalls have always been a problem at Friog and they were the cause of an accident in 1883 when a landslide derailed engine No. 29 *Pegasus* and it landed on the beach below. A similar accident also occurred in 1933. A rockfall shelter was built over this dangerous area to prevent any further incidents.

Gorsaf Tywyn, Rheilffordd Glannau'r Cambrian, ar droad y ganrif. Ar flaen yr adeilad mae'r staff: ?, Parry Bach Y South, Mr Bowen (gorsaf-feistr), ?, ?, ?, Griffith Davies, Rich. Lewis, Mr Richards, a chi'r orsaf.

Tywyn station, on the Cambrian Coast line, at the turn of the century. The staff are, left to right: -?-, Parry Bach Y South, Mr Bowen (station master), -?-, -?-, -?-, Griffith Davies, Rich. Lewis, Mr Richards, and the station dog.

Gorsaf y Friog ar 16 Orffennaf 1934.
Fairbourne station on 16 July 1934.

Dyma draphont gyntaf y Bermo yn dangos y rhychwant haearn a dynnid yn ôl i alluogi llongau i hwylio o dan y bont. Arferid lliwiau porffor a gwyn fel lliwiau rhybudd ar y bont er gwahaniaethu â goleuadau morio'r llongau.

The original Barmouth viaduct showing the iron span which drew back to allow the passage of ships under the bridge. The signals on the bridge used purple and white lights to avoid confusion with ships' navigation lights.

Pen Pont y Bermo yn dangos y dec a garia'r lein a phont droed i cerddwyr ar yr ochr ddeheuol. Safle yw hon sy'n ffefryn gyda thynnwyr lluniau y rheilffordd.

The top of Barmouth Bridge showing the deck carrying the railway track and pedestrian footbridge on the right-hand side, always a favourite location for railway photographers.

Pont y Bermo a ail-adeiladwyd fel pont droi yn 1909. Dywedir hanes am ŵr lleol adnabyddus na chredai ei bod hi'n bosibl croesi Aber Mawddach, iddo addo bwyta'r trên cyntaf a wnai hynny. Pan agorwyd y bont, yn 1867, 'roedd ef yn un o'r teithwyr ar y trên cyntaf. Wedi cyrraedd y Bermo yn ddiogel daeth y parti swyddogol at y gŵr a'i arwain i bendraw'r platfform, lle roedd bwrdd wedi ei osod. A gofynnwyd iddo prun ai wedi ei rhostio neu ei berwi a fyddai orau ganddo i fwynhau ei beiriant. Ni chroniclwyd yr ateb.

Barmouth Bridge, rebuilt as a swing bridge in 1909. There is a story that a well-known local figure had said that he would eat the engine of the first train to cross the Mawddach, such was his disbelief in the ability of trains to cross the estuary. When opened, in 1867, he was on the first train. On arrival at Barmouth, he was approached by the official party, taken to the end of the station platform where a table was laid and was asked whether he would like his engine baked or boiled. His reply was not recorded.

4–4–0 Rheilffyrdd y Cambrian rhif 50, a adeiladwyd gan Sharp-Stewart, yn tynnu trên teithwyr yng ngorsaf y Bermo.
Cambrian Railways 4–4–0 No. 50, built by Sharp-Stewart, on a passenger train at Barmouth station.

Rheilffyrdd y Cambrian 4–4–0 rhif 11 yng ngorsaf y Bermo.
Cambrian Railways 4–4–0 loco No. 11 rests at Barmouth station.

GWR Fframwaith Dwbl 4–4–0 rhif 3283 Comet, *o'r Dosbarth 'Duke' yn Bermo. Bu i'r peiriant hwn fodoli hyd at 1950.*

GWR double-framed 4–4–0 No. 3283 *Comet* of the 'Duke' class, at Barmouth. This engine survived until 1950.

GWR injan nwyddau Collett 0–6–0 rhif 2262 ar ddyletswydd shyntio yng ngorsaf y Bermo.

GWR Collett Goods 0–6–0 No. 2262 on shunting duties at Barmouth station.

Gorsaf Dyffryn ar lein y Cambrian yn gynnar yn yr ugeinfed ganrif. Y mae trên lleol yn nesáu a nifer o deithwyr yn aros amdani.
Dyffryn station on the Cambrian Railways in the early twentieth century. A local train approaches while quite a number of passengers wait.

Croesfan Dyffryn Ardudwy, ar lein y Cambrian, ar droad y ganrif.
The level crossing at Dyffryn Ardudwy, on the Cambrian Railways, at the turn of the century.

Gorsaf Harlech yng Ngorffennaf 1934. Nid oedd prydlondeb yn nodweddiadol o lein y Cambrian. Mae hanesyn am deithiwr yn 1911 yn dod i'r orsaf a gofyn i'r orsaf-feistr ai y 5.20 oedd y trên a nesai at yr orsaf. Chwech o'r gloch y pnawn ydoedd ar y pryd. Gallai fod y 4.10, oedd yr ateb, a gwir hynny.

Harlech station in July 1934. Punctuality was not a feature of the Cambrian Railway and a story concerning a holidaymaker at Harlech station illustrates the point. In 1911 our tourist arrived at the station at around 6 p.m.; he asked the station master if the train approaching from the south was the 5.20, only to be told that it could be the 4.10, which indeed it was.

Gorsaf Abererch, Rheilffyrdd y Cambrian. Hon oedd yr orsaf nesaf i Bwllheli, ar ôl Penychain a wasanaethai gamp gwyliau Butlin. Sylwch ar y postyn yn dai dau signal a'r disc ar fraich y signal a ffefrid gan Gwmni y Cambrian.
Abererch station on the Cambrian coast line. This was the last station before Pwllheli the previous one being Penychain for Butlins holiday camp. Note the double signal post and the disc on the signal arm, favoured by the Cambrian Company.

Gorsaf Abererch o'r pen arall gyda theithiwr yn disgwyl dyfodiad y trên.
Abererch station from the opposite end as a passenger awaits the arrival of a local train.

Gorsaf wreiddiol Pwllheli. Fe'i hadeiladwyd ger yr harbwr ac fe'i hagorwyd yn 1867, ond oherwydd cwynion gan deithwyr am aroglau cryfion y pysgod o'r harbwr, fe'i hail-leolwyd yn 1909.

The original station at Pwllheli. Opened in 1867 near the harbour, passengers complained of the strong smell of fish. It was replaced in 1909.

London & North Western and Great Western Lines (Via Welshpool).

DOWN.	WEEK DAYS. p. m.		night	a. m.	a. m.	a. m.	a. m.	a. m.	p. m.	SUNDAYS. p. m.		p. m.
London (Euston) ... dep	10 0		...	5 0	7 10	8 A35	11 0	...	2 a40	10 0		10 0
„ (Paddington) ... „	7 30		12 15	...	9 10	9 A20	11 5	...	2 35	12 15		4 0
Northampton (Castle) ... „	11 27		...	6 22	8 25	10A26	1146	...	3 0	11 27		10 21
Birmingham (New Street) „	10 55		...	7 20	9 15	11A35	1210	...	3 30	10 55		10 15
„ (Snow Hill) „	10 46		6 0	9B10	1130	12A15	1 15	...	4 40	3 53		7 10
Wolverh'mpt'n (Queen St.) „	11 32		...	7 52	9 51	12A12	1249	...	4 4	11 32		10 41
„ (Low Level) „	11 17		6 43	9B35	1155	12A40	1 37	...	5 5	4 22		7 45
Stafford ... „	2 15		...	8 52	1030	12A40	1 40	...	5 13	2 15		2 15
Shrewsbury ... „	3 25		8 0	1020	1255	...	2 35	3 5	6 5	6 0		3 25
Welshpool ... arr	4 0		8 45	11 5	1 40	2 5	3T 0	3 48	6 55	6 50		4 0
Welshpool ... dep	4 12		9 0	1130	2 52	2 15	3 15	4 5	7 10	7 0		4 12
Newtown ... arr	4 36		9 30	1157	3 19	2 42	3 42	4 32	7 38	7 29		4 36
Llanidloes ... „	5 25		10 30	1240	...	3 30	5 12	5 12	8 40	8 7		5 25
Rhayader ... „	6 0		11 5	4 3	...	4 3	5 45	5 45	...	8 40		6 0
Brecon ... „	7 45		2 25	5 38	...	5 38	7 45	7 45	...	10 23		7 45
Machynlleth ... „	5 37		10 45	1 2	4 18	...	4E39	5 35	8 55	8 38		5 37
Borth ... „	6 2		11 20	1 50	4E42	4E 0	5 10	6‡ 6	9 23	9 10		6 2
Aberystwyth ... „	6 20		11 40	2 15	5 0	4 20	5 30	6‡25	9 40	9 35		6 20
Aberdovey ... „	6 15		11 18	1 53	4 55	4 7	5 17	6 42	9a30	9 18		6 15
Towyn ... „	6 23		11 26	2 1	5 3	4 15	5 27	6 55	9a38	9 26		6 23
Dolgelley ... „	8 16		1 b 7	3 10	6 30	...	6 30	9 0		10 55		8 16
Barmouth ... „	6 54		12 6	2 35	5 35	4 50	6 6	7 30	...	10 0		6 54
Harlech ... „	9 † 6	1013	12 50	3 8	6 20	5 40	...	8 19	...	5 36	9 † 6	10 13
Portmadoc ... „	9 †26	1034	1 11	3 29	6 41	6 0	...	8 40	...	6 0	9 †26	10 34
Criccieth ... „	9 †40	1048	1 30	3 45	7 0	6 20	...	9 0	...	6 12	9 †40	10 48
Pwllheli (for Nevin) ... „	10†17	1120	2 0	4 20	7 25	6 45	...	9 35	...	6 32	10†17	11 20

July 15th to September 16th. — Saturday night and Sunday morning. — Sunday night and Monday morning. — p.m.

A—July 21st to August 26th only. a—Fridays and Saturdays only. B—Runs on July 14th and 15th, and daily from July 21st to September 16th inclusive; on other dates leaves Birmingham 8 30, and Wolverhampton 9 0 a.m. b—From July 21st to Sep 18th and on Sep 23nd, arrives at 12 22 p.m. E—Stops to pick up or set down Passengers for or from Stations on other Companies' Lines, notice being given to the Guard to set down. S—Passengers from Euston travel in Slip Coach. T—Arrives Welshpool 3 10 from Shrewsbury. ‖—Not on Monday mornings. ‡—From July 24th to September 16, other dates Borth 7 30, Aberystwyth 7 50. †—From July 17th to September 16th only.

UP.	L a. m.	L a. m.	a.m.	L a. m.	a. m.	a. m.	p. m.		p.m.	p. m.	SUNDAYS. a m.
Pwllheli (for Nevin) dep.	...	...	6 10	...	9 50	10D50	...			4 0	9 0
Criccieth ... „	...	...	6 36	...	1018	11D15	...			4 30	9 23
Portmadoc ... „	...	...	6 48	...	1035	11D30	...			4 50	9 33
Harlech ... „	...	...	7 8	...	1057	11D52	...			5 11	9 53
Barmouth ... „	...	...	7 40	8 35	1145	12J30	1 30			5 55	5 55
Dolgelley ... „	...	...	7 15	8K 5	9 45	11J45	1 15			5 20	4 40
Towyn ... „	...	7 50	8 12	9 10	1218	1 J 4	2 3			5 32	6 24
Aberdovey ... „	...	7 58	8 22	9 20	1231	1 J 15	2 14			6 43	6 35
Aberystwyth ... „	...	8 0	8 10	9 5	1 0		1H55	2 30		6 25	6 25
Borth ... „	...	8E15	8 30	9F20	1 20		2H15	2E50		5M55	5 43
Machynlleth ... „	...	8 36	9 0	10 2	1 58		2H45	3 20		7 17	7 10
Brecon ... „	...	...	7 25	...	10 40		...	1 20		5 55	5 30
Rhayader ... „	...	...	9 2	...	1 54		...	3 3		7 15	7 2
Llanidloes ... „	6 30	...	9 34	...	2 20		...	3 35		7 49	7 35
Newtown ... „	8 25	9E30	10 6	11 0	3 3		3H42	4 18		8 28	8 16
Welshpool ... arr.	8 50	9 55	1032	1125	3 30		4H 5	4 45		8 54	8 43
Welshpool ... dep.	9 0	10 0	1042	1138	3R35	3*40	4 15	5F10	6 35	9 5	9 5
Shrewsbury ... arr.	9 45	1045	1120	1220	4R20	4G37	...	5F47	7 3.	9 50	9 50
Stafford ... „	11 0	...	1225	1 25	5R45	...	5 45	...	9 20	1055	1055
Wolverh'mpt'n (Queen St) „	12 8	1138	1 24	2 25	6R33	...	6 33	...	1030	2 3	2 3
„ (Low Level) „	1046	...	1 3	2 1	5R15	4G55	6 29	6F45	9 40	11P38	...
Birmingham (New Street) „	1241	...	1 57	2 55	7K10	...	7 10	...	1135	2 33	2 33
„ (Snow Hill) „	1110	12 2	1 55	2 38	5R40	5G25	6 53	7F18	1035	...	...
Northampton (Castle) ... „	1 28	...	2 45	3 35	7R36	...	7 36	...		3 50	6 26
London (Paddington) ... „	1 25	2 7	...	4 50	7R50	7G50	...	10F5	...	...	...
„ (Euston) ... „	1 40	...	3 20	5 20	9R 5	...	9 5	...	...	3 50	3 50

July 21 to Sept. 30. — Monday morning. — p.m.

Through Carriages run to and from **London** (Euston and Paddington), **Birmingham** (New Street and Snow Hill), **Liverpool** (Lime Street), **Manchester** (London Road), &c.
For full particulars see Penny Time Book or apply at Stations.
*—Passengers for Shrewsbury leave Welshpool at 3 50 p.m. D—July 17th to September 16th. E—Stops to pick up for other Companies' Lines. F—Runs July 14th and 15th; daily July 21st to August 26th inclusive. G—July 21st to September 16th. H—July 15th to September 30th. J—July 15th to September 18th. K—August only. L—Luncheon Car to London. M—First Class Passengers can leave Borth at 6 43 p.m. P—Saturdays only. R—July 10th to 20th and September 18th to 30th.

Gorsaf newydd Pwllheli, oedd i gymryd lle yr hen un ger yr harbwr.
Pwllheli new station is nearing completion in this view, and will replace the old one near the harbour.

Gorsaf Pwllheli a sgwâr yr orsaf. Yr oedd yr orsaf newydd yn llawer mwy cyfleus na'r hen un.
The front of Pwllheli station, and Pwllheli station square. The new station was much more conveniently sited than the old one had been.

Gorsaf Pwllheli o ben draw'r platfform yn ystod y 1950au cynnar.
Pwllheli station from the end of the platform in the early 1950s.

Gorsaf newydd Pwllheli yn fuan ar ôl ei hagor. Dyma derfyn gorllewinol y Cambrian. Ar un adeg gobeithiai'r Cwmni hwn gwblhau'r lein i Borthdinlläen i gystadlu am y drafnidiaeth Wyddelig gyda'r LNWR.
Pwllheli new station shortly after opening. This was the western terminus of the Cambrian Railways, who had once hoped to continue the line further west to Porth Dinllaen in an effort to compete with the LNWR for Irish traffic.

Terfyn gorllewinol Rheilffyrdd y Cambrian oedd Pwllheli, ar Benrhyn Llŷn. Gan ei fod yn ganolfan ymwelwyr poblogaidd yr oedd angen staff gweddol fawr yn yr orsaf i ddelio â theithwyr. Pa mor fawr oedd y staff fe'i gwelir yn yr olygfa yma o'r 1930au.
Western terminus of the Cambrian was Pwllheli, on the Lleyn Peninsula. Being a popular holiday resort, a large station staff was needed to deal with the travelling public. Just how large can be seen in this 1930s view.

Cerbydau y GWR ym Mhwllheli ar y 10 Fedi 1937. Hysbysir y bwrdd ar ochr un o'r cerbydau mae'r siwrne oedd PENBEDW-CAER-DOLGELLAU-Y BERMO-PWLLHELI. Wrth y platfform mae rhes o gerbydau LNWR.
GWR coaches at Pwllheli on 10 September 1937. The destination coach board reads: BIRKENHEAD-CHESTER-DOLGELLY-BARMOUTH-PWLLHELI. At the platform is a rake of LNWR coaches.

Ni fu cwmniau'r rheilffyrdd yn hir cyn gwneud defnydd o'r bysiau i uno'r gorsafoedd a rhannau gwledig a diarffordd. Dyma'r bws cyntaf o eiddo'r Cambrian a redai rhwng Bwllheli a Nefyn yn aros i adael yr orsaf yn 1906.

The railway companies were not slow to use motor buses to connect passengers between stations and outlying areas. Here, the first run by the Cambrian Railways between Pwllheli and Nevin awaits departure from the station in 1906.

Y signal cychwyn ym mhen draw gorsaf Pwllheli.
The home starting signal at the end of Pwllheli station.

CYDNABYDDIAETH

Ymddengys y mwyafrif o'r darluniau yn y llyfr hwn, trwy gwrteisi Gwasanaeth Archifau Gwynedd (Caernarfon, Llangefni, a Dolgellau) sydd bob amser yn ddiolchgar am dderbyn defnyddiau newydd i chwyddo eu casgliadau. Diolchiadau arbennig yn mynd i Gareth Haulfryn Williams am ei gymorth gyda'r gwaith ac i Angharad Jones, Beverley Thomas, a Sian Wyn Jones a dreuliodd oriau lawer yn chwilio ar fy rhan drwy gasgliadau'r archifau. Diolchiadau hefyd i Roger Carpenter, H.C. Casserley, P. Vaughan Davies, Bruce Ellis, Gwyn Roberts, Archifdy Clwyd, Amgueddfa Genedlaethol y Rheilffyrdd, a Chymdeithas Hanes Penmaenmawr. Yr wyf yn wir ddiolchgar i Mr Griffith John Roberts am y cyfieithiadau Cymraeg.

ACKNOWLEDGEMENTS

The majority of the photographs used in this book have been supplied courtesy of Gwynedd Archive Service at Caernarfon, Llangefni, and Dolgellau, who are always looking to expand their collection and would be grateful to receive new material. Special thanks go to Gareth Haulfryn Williams for his support in this project, Angharad Jones, Beverley Thomas, and Sian Wyn Jones who spent many hours sorting through the archives collection on my behalf. Also thanks go to Roger Carpenter, H.C. Casserley, P. Vaughan Davies, Bruce Ellis, Gwyn Roberts, Clwyd Record Office, the National Railway Museum, and Penmaenmawr Historical Society. I am very grateful to Mr Griffith John Roberts who did the Welsh translations.